ちくま文庫

TOKYO STYLE

都築響一

筑摩書房

TOKYO

TEXT AND PHOTOGRAPHS

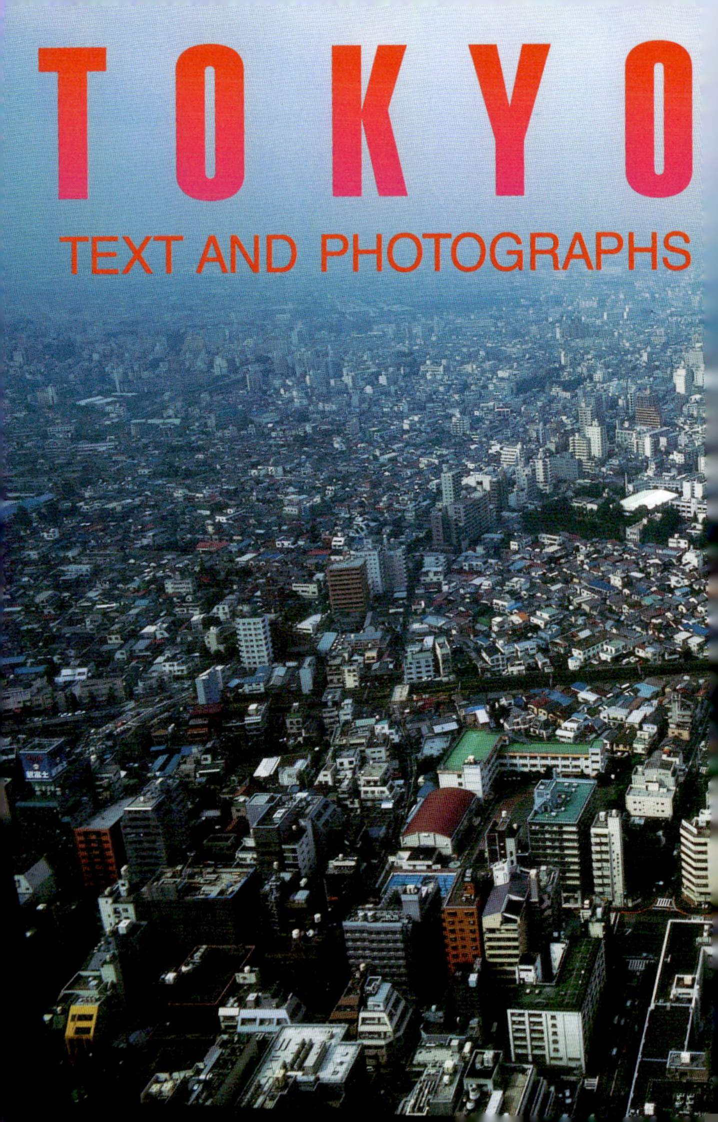

STYLE
BY KYOICHI TSUZUKI

本町東町会防災倉庫

自転車放置
ゴミ等捨てる
べからず。

寿司よし
てまり
寿司よし
BAR
亜紀

TOKYO STYLE

目次

TOKYO

東京はどうやら、世界一住みにくい都会らしい。一杯10ドルのコーヒー、一回100ドルのディナー、一平米10万ドルの地価…だけどそんな数字は僕らにとって、ほとんどなんのリアリティも持たない。家に帰ると和服の奥さんが玄関に坐っていて、茶室では釜がしゅんしゅんいい音を立ててと、もはや昔の日本映画か外国人の日本好きの頭の中にしかありえないシーンと同じくらい、僕らの日常生活とはかけ離れた世界にすぎない。
僕らの生活はもっと普通だ。木造アパートや小さなマンションにごちゃごちゃとモノを詰め込んで、絨毯の上にコタツを置いたりタタミに洋風家具をあわせたりしながら、けっこう快適に暮らしている。
部屋は確かに狭い。ヨーロッパやアメリカ人から見たら、スラムにしか思えない狭さの部屋もたくさんある。でも、中に詰まってるモノはけっこう高級品だったりもする。
金持ちになるほど他人から離れたところに広々とした家を建て、すっきり暮らすという欧米の考えかたからすれば、どうしようもなくコミカルに見えてしまうであろうこんな生活スタイルが、実のところ僕たちにとっては意外に心地よかったりする。
同じ家賃を払うのだったら、郊外ならもっと広いところに住める。でもそうはしないで、わざと都心の狭い部屋に住む。東京は安全な都会だから、女の子がパジャマにコートをひっかけて夜中にコンビニエンス・ストアへ買い物にでかけても、泥酔して財布をポケットにいれたまま道端で寝こけていても、まず身に危険はない。それだったら気に入った本屋や洋服屋や、レストランや飲み屋のそばに小さな部屋を確保して、あとは街を自分の部屋の延長にしてしまえばいい。そっちのほうが気が利いてるじゃないかと考える人間が、この都会にはたくさん、涼しい顔をして暮らしている。

STYLE

「和風」の伝統美を極める写真集、クールな現代建築を逐一カバーする大判の作品集、スタイリストがきれいにまとめたインテリア・デコレーション雑誌、飽きるほどたくさんの「日本の空間」を扱った印刷物が本屋に並んでいる。でも、どれからも、そこに実際に暮らす人間たちの気配は感じられない。なぜならそれは、人間の生きる場所としての空間の記録ではなくて、建築家なり写真家なりの作品、あるいは商品の巧妙なプレゼンテーションにすぎないからだ。さらに言えば、そんな写真のように住んでいる人間がまずいないからだ。
豪華な写真集や分厚い雑誌に出てくるようなインテリアに、いったい僕らのうちの何人が暮らしているのだろう。でも小さい部屋にごちゃごちゃと、気持ち良く暮らしている人間ならたくさん知っている。そして「スタイル」という言葉を使うとき、それはたくさん、どこにでもあるから「スタイル」と言えるのであって、自分のまわりにひとつも見つからないようなものを「スタイル」と呼ぶことはできない。マスコミが垂れ流す美しき日本空間のイメージで、なにも知らない外国人を騙すのはもうやめにしよう。僕らが実際に住み、生活する本当の「トウキョウ・スタイル」とはこんなものだと見せたくて、僕はこの本を作った。狭いと憐れむのもいい、乱雑だと哂うのもいい。だけどこれが現実だ。そしてこの現実は僕らにとって、はたから思うほど不快なものでもない。コタツの上にみかんとリモコンがあって、座布団の横には本が積んであって、ティッシュを丸めて放り投げて届く距離に屑カゴがあって…そんな「コックピット」感覚の居心地良さを、僕らは愛している。
世界はこれからますます不景気になり、多くの人々が経済的な余裕を失っていくだろう。狭い空間で気持ち良く暮らす術は、意外に未来的だったりするのかもしれない。

1992年、東京で　都築響一

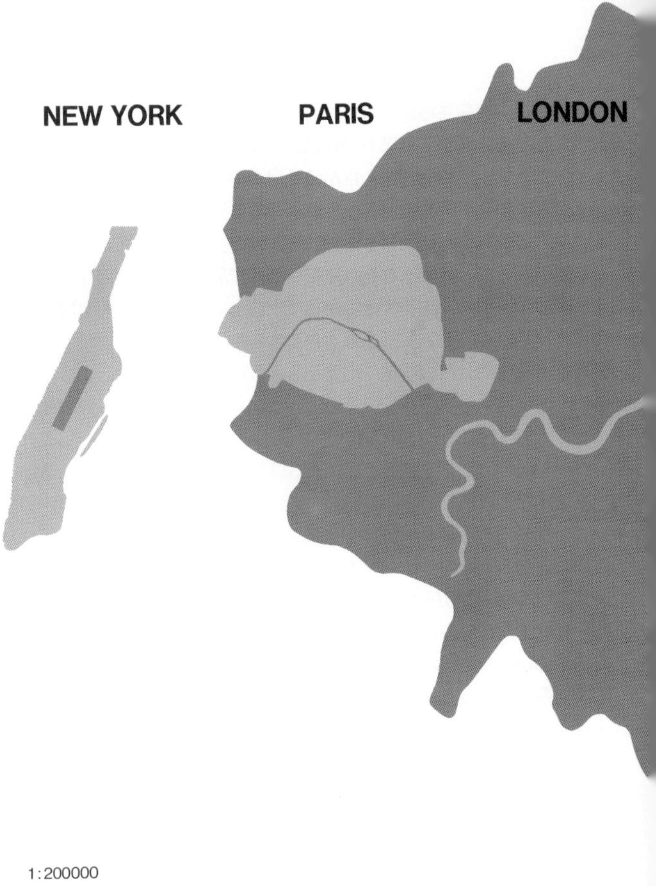
NEW YORK
PARIS
LONDON
1:200000

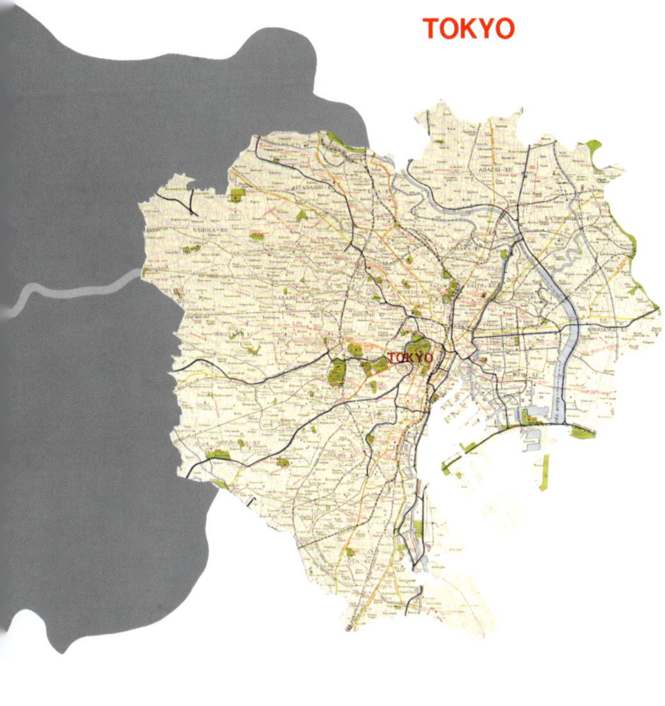

東京＆横浜オール英文地図　日地出版刊

美は乱調にあり

二十世紀の無政府主義思想家、大杉栄は日本の美学の本質を「美は乱調にあり」と看破した。はたから見ればどんなに雑然としていようと、そこに生活する本人にとっては確固たる秩序に貫かれている、そのような「有機的混沌」によってコントロールされた空間は、汚いどころか謎めいた魅力さえ覚えさせることがある。本の山を引っくり返して題名を読んでみたくなったり、棚の上の不思議なオブジェのほこりを払ってみたくなったり、他人の家にも関わらずそんな誘惑に駆られてしまうのは、決まってこうした心地好いカオスの支配する空間に足を踏み入れたときだ。"CHAOS"が混沌のほかに古義として深淵をも意味する言葉だったのは、まさに本質をついている。

アーティスティックな共棲
京都生まれ、33歳と32歳のアーティストの兄弟。美大入学で東京に出てきて、もう8年以上この二部屋の木造アパートで共同生活している。つくりはかなりボロだが、バス・トイレがついて8万円ほどという家賃は格安の部類に入る。入口のある部屋を兄がベッドを置いて使い、弟はコタツの脇の壁際の隙間に布団を敷いて寝る生活。ただしふたりとも制作の場所は別に確保しているので、家賃の安いこの部屋に不満なし。音楽が好きでレコードやCDのコレクションがかなりあるのに、夜はヘッドフォーンを使わないとならないこと、それにギターの練習をするのにアンプが使えないのだけは不便だが。

大きな作品は壁の平面がないので架けられない。画面保護を考え、ふだんはキャンバスの裏面鑑賞。

玄関脇に置かれたベッドは兄用。小部屋生活に欠かせない洗濯紐は収納機能も果たす。

scottie

壁際に敷かれた弟の寝床。住宅街の2階なので陽あたりがよく、洗濯物の乾きは早い。本棚の中味は現代美術関係がほとんど。右端に見える襖が風呂、トイレの入口。

Marlboro
LIGHTS
MILD SEVEN
Seven Stars
Mint

scottie

：テーブルの上にみんな
ておけば、いちいち引き
を探す手間が省ける。
：台所を見る。流しと食
のあいだは横歩きしか許
ない幅の狭さだが､食費節
兼ねて、まめに自炊する。
兄弟合わせてかなりの数
る靴とゴミ箱で、玄関の
は厳冬期と夜間を除き開
ままま、というか閉められ
ことが多い。

キャンパス・ライフの真実
典型的な学生寮の姿。芸術大学の男女学生寮で、広い敷地に男子棟と女子棟のふたつの建物がある。各フロアにふたつずつユニットがあり、中心に台所兼ラウンジ、そのまわりに5、6室の個室がある。個室の広さは三畳ほどで、つくりつけのベッドが備えられている。この大学は日本でも入学がもっとも難しい学校のひとつだが、学生のライフスタイルは必ずしもそうした入学難易度を反映してはいないことを、この寮は教えてくれる。

あるユニットの台所兼ラウンジ。4、5人の男子学生が共同で管理、運用している。サンドバッグは先輩が残していってくれた大切なもの。夜毎の活発な芸術談議が想像される(たぶん)。テーブルの下の花一輪が、さすがに芸術大学。

これ?
新

Hair Clipper

サランラップ
Saran Wrap.
30cm×20m
旭化成

女子生徒の個室。部屋中を黒く塗り込め、蛍光灯はブラックライトに替えてある。カーテンは撮影のために開けただけで、ふだんは閉めっぱなし。天井四隅の効果的な白枠は、単にペンキのローラーがいかなかっただけ。スチール机の上の砥石3ヶが不気味だ。

たまには美大生らしい部屋もある。独特の壁のテクスチャーは、石膏を壁に塗りつけて作った。あとに入ってくる生徒のことは関知せず。

ラップのように散らかせ

イラストレーションと、DJやラップ・ミュージックのバック・トラック制作の音楽活動、どちらもデビューして間もない若い男の仕事場兼住居。仕事道具やエッチ・ビデオ、自動車電話盗聴器などのグッズが散乱する。いちど部屋中を銀色にしようと思い立ってスプレー缶を買い、風呂場から始めてエアコンに来たところで、部屋中に塗料の匂いがたちこめてやむなく中断。フスマに手描きで唐草模様を描き込もうとしたが、これも途中で飽きて挫折。掃除というものが大嫌いで、週に一度ガール・フレンドが片付けに来るが、ほとんど成果が挙がらない。

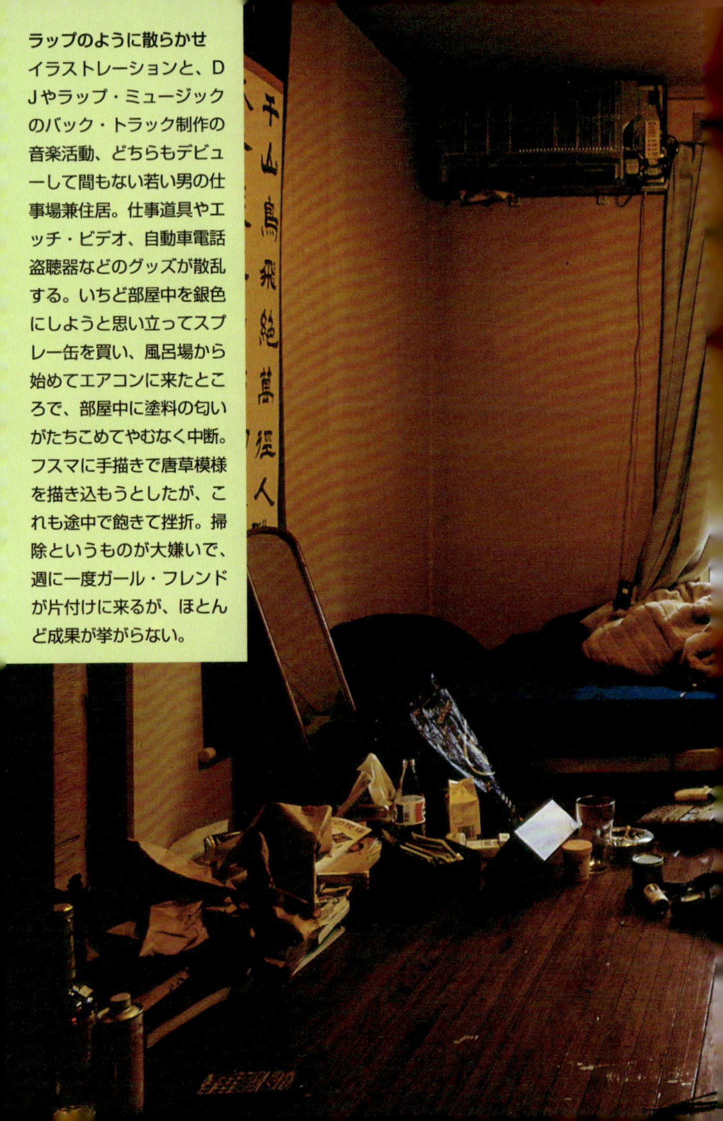

仕事場兼住居の全景。徹底した夜型なのでいつもはカーテンを閉めきったまま。写真ではわからないが、エアコンからまき散らされるスプレー・ペイントの匂いは相当なものだ。高校時代書道部だったという本人作の掛け軸が壁にかかる。

左：途中で挫折した手描きの唐草模様が、妙に部屋の雰囲気にマッチしている。
右：スーパーマーケットから無断拝借してきたカートが洗濯物入れ。あとはガール・フレンドの登場を待つばかり。

N30-A

DO NOT WASH
THIS VEHICLE IS UNDERGOING
A SCIENTIFIC DIRT TEST

デスクの脇のテレビとビデオ。デスクの反対側には、ほこりまみれのＤＪブースが設置されている。

趣味生活の光と影

古びた和風一戸建て。長屋式に、左右二軒に分けられている。一階に台所とひと部屋、二階にふた部屋。30代の共働き夫婦が住む。夫は特許事務所勤めだが趣味がやたらと多く、オーディオ、楽器、コンピュータからパイプ煙草にいたるコレクションがところせましと置かれ、まさに足の踏み場もない。食事用の座卓もいっぱいになってしまい、夫はわずかに空いた床の隙間で、妻は台所で立ったまま食べる始末。ゆえにどんぶり物しかメニューがない。居てもらうところがないから友達を呼ぶこともできないのが悩み。

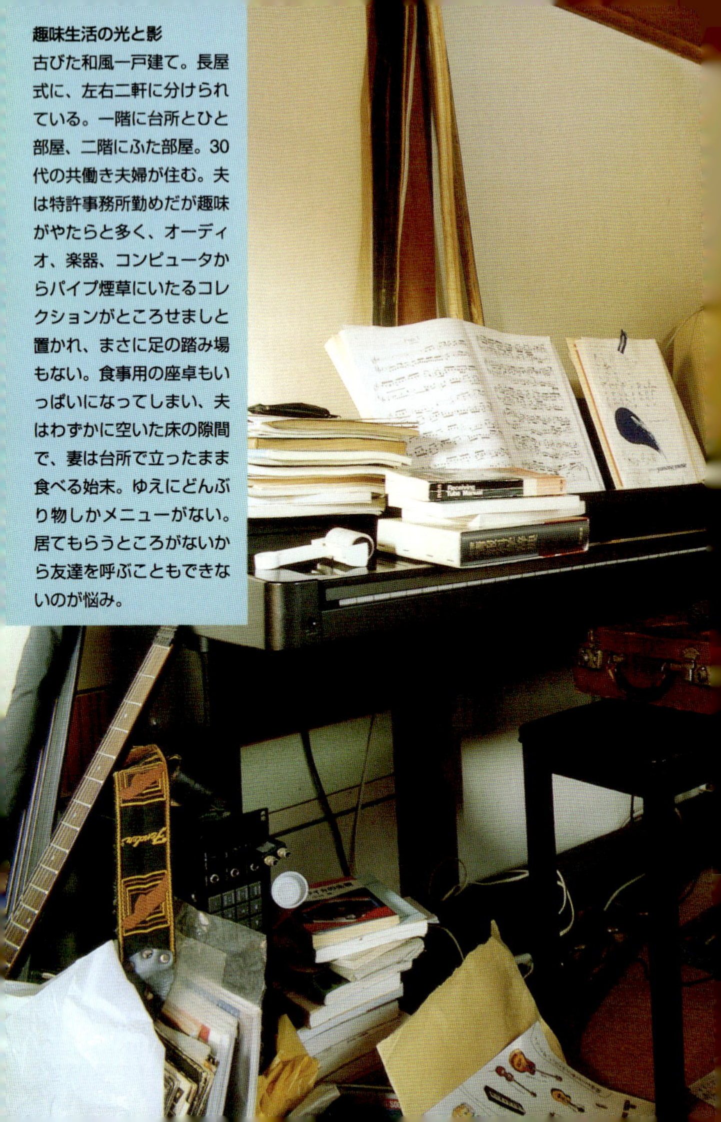

一階の部屋は夫の遊び場と化している。オーディオ制作、ギター、ピアノから自作のバイオリンまでこなす楽器いじり、コンピュータにパイプ煙草と幅広すぎる趣味のおかげで、部屋はながらく収集のつかないまま。飽きたものから後方に追いやられるのが、もはや手の届かないマッキントッシュの位置からわかる。

どこにでもある住宅地の一
家。長屋式になった手前半
の一階、二階を使ってい
入口を左に入った奥が玄関

階に上がる急な階段。磨き
まれた木のステップ、しか
両側が荷物でいっぱいなの
、かなり危険。慣れていて
たまに滑って腰を強打する。

縁側から一階の部屋を眺める。
台所と、マウンテンバイクが
押し込まれた玄関が見える。

Pelikan
4001
MUSIC DATA

.014
EARLY MORNING PIPE
FREE

Pelikan
maxell
BLUEKICK

風呂場とトイレに貼られた昔風のタイルが気に入っている。朝風呂が気持ちいい。

いまではなかなかお目にかかれない、木製水槽がついた和式便所。禅的な静寂に満ちている。右端に見える小さな手洗いコーナーも懐かしい。

音楽戦士の休息

ロックひとすじ20年の音楽評論家兼DJの、ここは住まいであり書斎でありストックルームでありテープ制作室でもある。昼と夜が完全に逆転した部屋の主が起き出すのはたいてい夕方近くで、布団はいつも敷きっぱなしの状態。拾ってきたオフィス用の応接セットやスチール机が家具といえるほとんど唯一のもの。実家がそばにあるのが強みで、週に幾度かは栄養をつけるのと風呂に入りに（このアパートのはボイラーが弱く湯の出が頼りない）両親の元を訪れる。

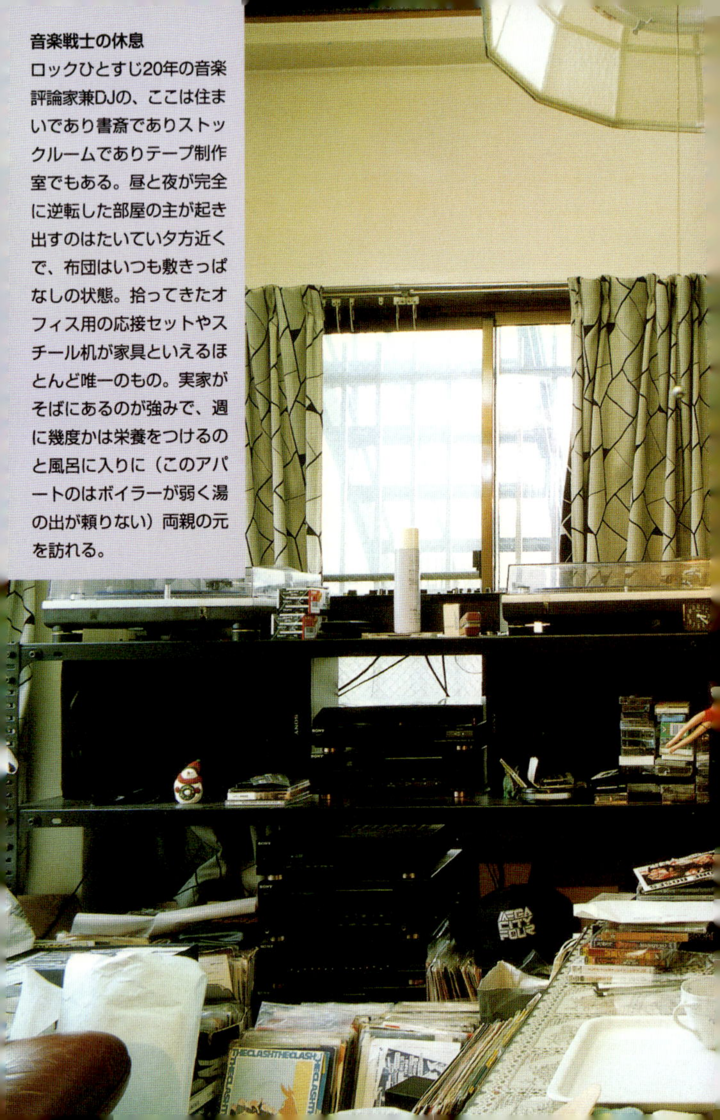

ＣＤはもちろんロック・オンリー、系統だって整理されている。棚の中のカネゴンやＵＦＯキャッチャーなど、意外にラブリー系の小物が多い。評論活動と共にロックＤＪとしてクラブでプレイすることも多いから。簡単なＤＪシステムが必需品だ。

クラブの仕事が終わって帰宅するのが朝、起床は夕方という生活なので、布団は敷きっぱなし。カーテンもふだんは閉めきっている。

killyourtelevision

LARD

なんでも揃った枕元。帰宅途
中にコンビニエンス・ストア
に寄るのが日課となっている。

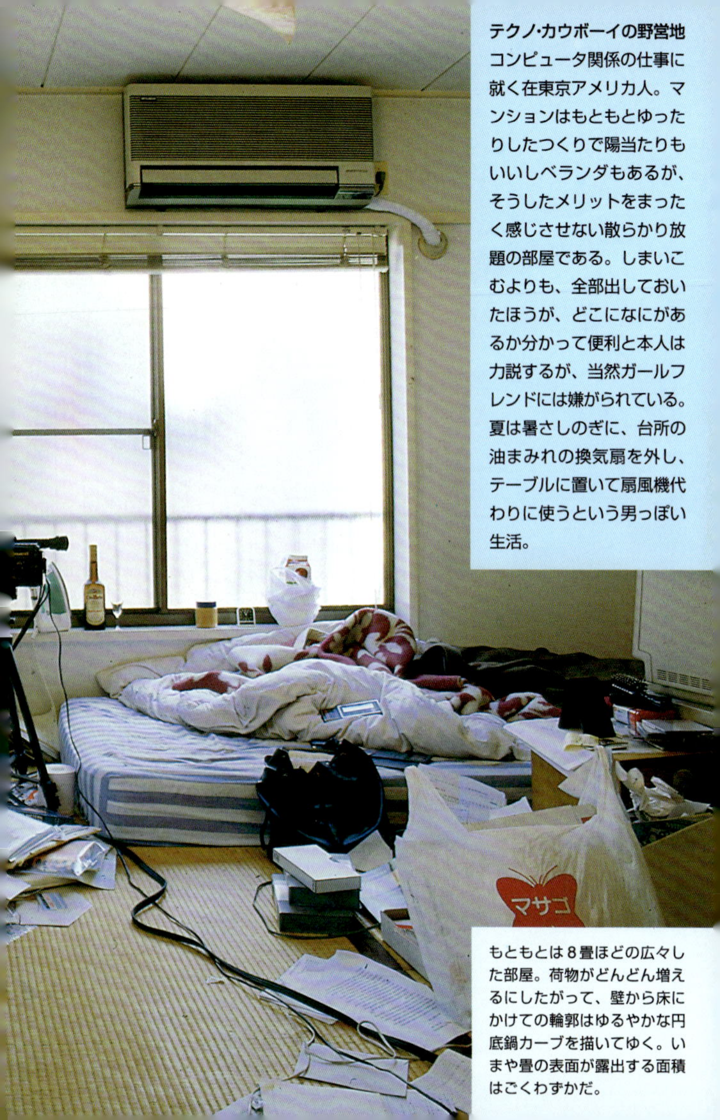

テクノ・カウボーイの野営地
コンピュータ関係の仕事に就く在東京アメリカ人。マンションはもともとゆったりしたつくりで陽当たりもいいしベランダもあるが、そうしたメリットをまったく感じさせない散らかり放題の部屋である。しまいこむよりも、全部出しておいたほうが、どこになにがあるか分かって便利と本人は力説するが、当然ガールフレンドには嫌がられている。夏は暑さしのぎに、台所の油まみれの換気扇を外し、テーブルに置いて扇風機代わりに使うという男っぽい生活。

もともとは8畳ほどの広々した部屋。荷物がどんどん増えるにしたがって、壁から床にかけての輪郭はゆるやかな円底鍋カーブを描いてゆく。いまや畳の表面が露出する面積はごくわずかだ。

使い込まれた台所兼ワーキング・エリア。しかしデスクの上に仕事のできる余地はない。

上：地震に弱そうな自作の本棚。奥にはユニット・バス。
下：趣味の広さが部屋の整頓には強敵となる。

上：押し入れの上段がクローゼット。仕事柄やむをえず必要なスーツは、こうしておけば起床、即着用可能。
下：枕元集中コントロール・システム。マッキントッシュからピザ屋の出前メニューまで、必要な情報はすべて横位置のままチェック可能な態勢がとられている。

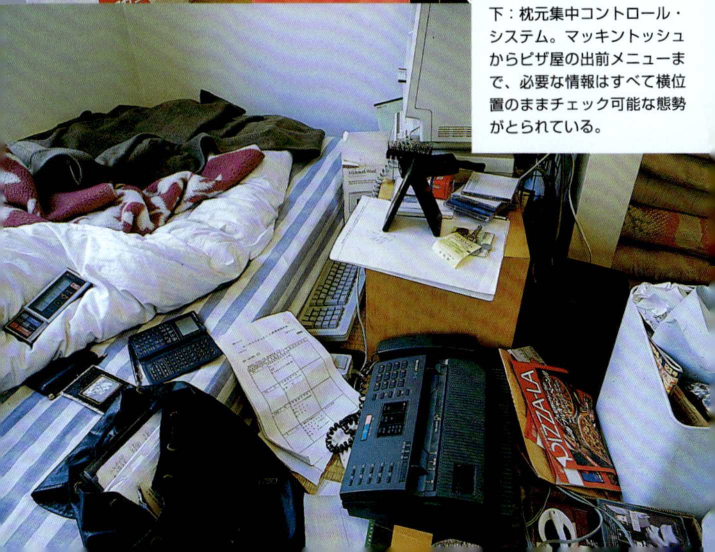

部屋全景。ゆたかな陽当たりと独特なカラーリングのセンスが、スイートな居心地よさを演出する。

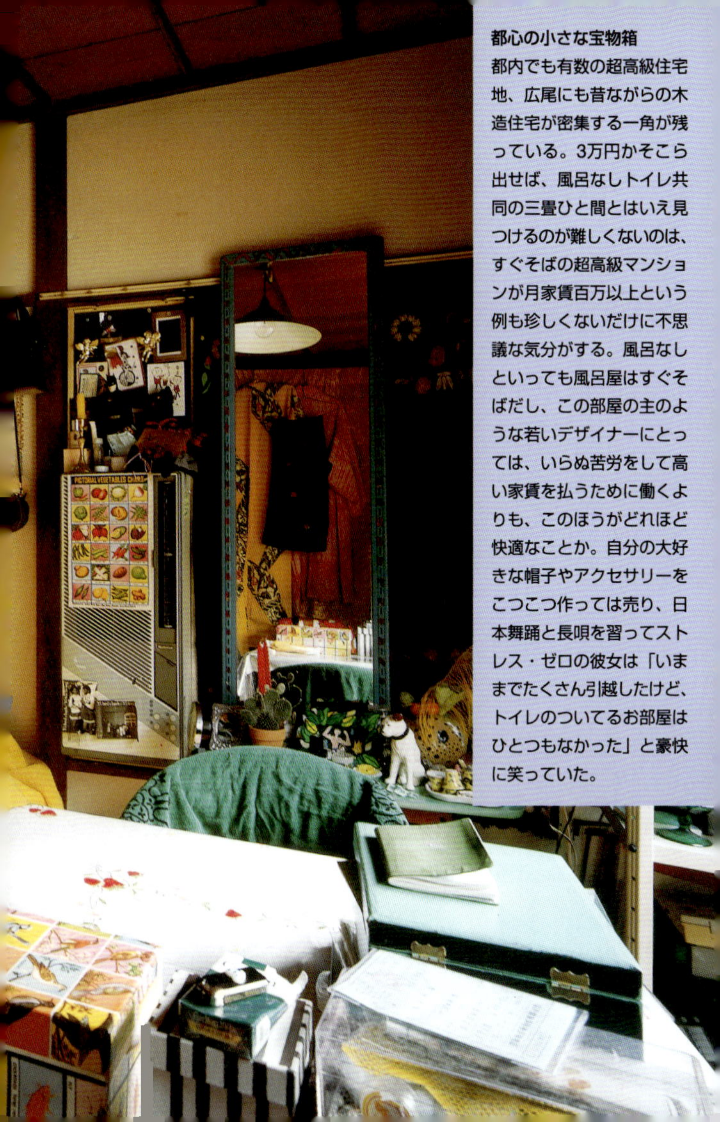

都心の小さな宝物箱

都内でも有数の超高級住宅地、広尾にも昔ながらの木造住宅が密集する一角が残っている。3万円かそこら出せば、風呂なしトイレ共同の三畳ひと間とはいえ見つけるのが難しくないのは、すぐそばの超高級マンションが月家賃百万以上という例も珍しくないだけに不思議な気分がする。風呂なしといっても風呂屋はすぐそばだし、この部屋の主のような若いデザイナーにとっては、いらぬ苦労をして高い家賃を払うために働くよりも、このほうがどれほど快適なことか。自分の大好きな帽子やアクセサリーをこつこつ作っては売り、日本舞踊と長唄を習ってストレス・ゼロの彼女は「いままでたくさん引越したけど、トイレのついてるお部屋はひとつもなかった」と豪快に笑っていた。

外から中央の家、タオルが干してある2階の部屋が彼女の空間。写真のすぐ右側が銭湯なのでしごく便利。これが広尾とは思えない、下町情緒あふれる一角である。

ベッドとテレビに挟まれたお化粧スペース。足元にはファックスが収まっていて、仕事にも不便はない。テレビが室内アンテナなので、大好きな水戸黄門がはっきり見えないのがちょっと残念。

Panafax

古着屋を探すのが好き。安くておもしろい柄の着物は無愛想な壁の装飾にちょうどいい。

買う前にまず手作りできないかを考える。水仙を生けた花瓶が最近の自信作だ。

情念の精巣

決してメジャーではないが、一部に熱狂的なファンを持つカルト・コミック・アーティストの仕事場兼住居。漫画家であると同時に日本や韓国のヘンな歌謡曲のコレクターでもあるので、室内は漫画の資料とレコードとカセットでまったく足の踏み場もない。売れっこ漫画家のようにアシスタントによる分業制を取ることもなく、彼はたったひとりこの部屋で、精力的に作品を生みだしている。資料を山と積んでは適当に引き抜いていくので、部屋のあちこちになだらかな資料の山ができている。

数々の名作が生みだされてきたデスクまわり。ただしスペースがないので足元の小机で仕事をすることが多い。

RIOT WATCH
NEWSPAPER COMICS
PRETZ
[COUPLES]

本場 本物
超 小粒納豆
だるま納豆本店
TDK
Give Love Re

玄関。靴箱の上のケース
まっているのは、ほとん
韓国歌謡カセット。
テレビの上が小物ディス
ー・スペース。

ベッドの上にはたくさんの洋服コレクションがこのとおり。これなら洋服箪笥はいらない。

三畳間のロック・ラウンジ

音楽が好きで、バーで働きながら三畳ひと間の小さな部屋を借りてひとりで暮らす少女。狭い空間は大好きな洋服やカセットテープやアクセサリーで溢れている。古い木造のアパートで風呂なし、トイレ共同という物件だが、同じ階に部屋を借りている全員が友人同士。毎晩のように彼女の働くバーで顔を合わせるメンバーでもあり、アパートはさながら小さなコミューンといった気楽な雰囲気に満ちている。いちばんキッチンの大きい部屋でみんなで食事をし、陽当たりのいい部屋はサンルームに、といった具合で居心地よきことこのうえなし。

Technics
TWENTIES
FULL COLOR

Great Fashion Designs of the
TWENTIES
Paper Dolls in Full Color
BLUHAWK

ベッドのまわりを中心に、お気に入りのモノ、モノ、モノ…の洪水。お化粧から読書まで、なんでもベッドの上で済んでしまうのがうれしい。

FRANK ZAPPA
CAPTAIN BEEF HEART
CAPTAIN BEEF HEART
JOHN LENNON
MICK JAGGER
LOU REED
MUSIC MAGAZINE

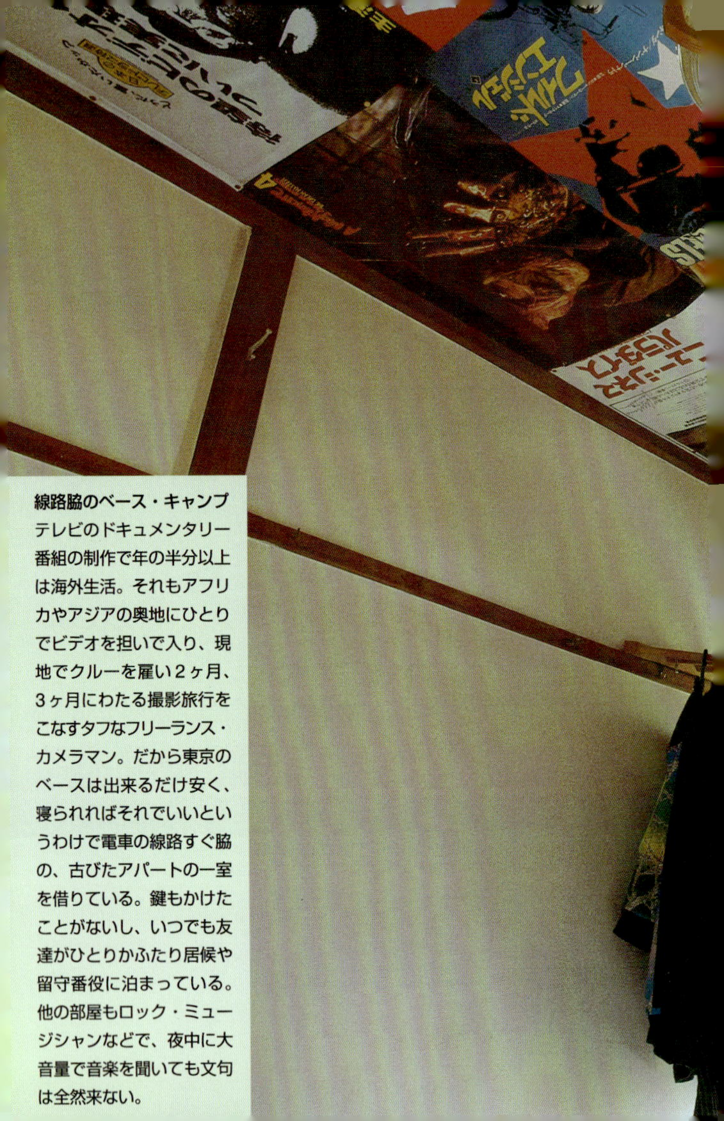

線路脇のベース・キャンプ
テレビのドキュメンタリー番組の制作で年の半分以上は海外生活。それもアフリカやアジアの奥地にひとりでビデオを担いで入り、現地でクルーを雇い２ヶ月、３ヶ月にわたる撮影旅行をこなすタフなフリーランス・カメラマン。だから東京のベースは出来るだけ安く、寝られればそれでいいというわけで電車の線路すぐ脇の、古びたアパートの一室を借りている。鍵もかけたことがないし、いつでも友達がひとりかふたり居候や留守番役に泊まっている。他の部屋もロック・ミュージシャンなどで、夜中に大音量で音楽を聞いても文句は全然来ない。

ノスタルジーを誘うポスター天井。だんだん厚くなっていく。たまに画鋲が落下したりするとか。

上：この部屋に男３人でしばらく暮らしていたこともある。いつ、何人友達が泊まりに来てもいいように、すぐ敷ける体制のマット。
左：線路脇に建つアパート。まわりはすでに地上げが進んでいる。

レコードの数多し。初期の日本パンクものなど、なかなかレアなアイテムが揃っている。

家事からの解放、その後
古びた木造アパートの一階に住む女性音楽ライター。職業柄ＣＤや資料が多いのは仕方がないが、根っからの整理嫌い、掃除嫌い、料理嫌いという性格が災いして、独り暮らしには狭くない部屋なのに収拾のつかない状態と化している。禁止はされているが猫を2匹こっそり飼っていて、ベッド兼用のソファは爪研ぎでぼろぼろになってしまった。夜型なのでほとんど気にはならないが、路地に面した一階ということで陽当たりは極端に悪い。

オーディオ・ルームと呼ぶべきか。昼でも薄暗い室内。手前の机が執筆の場所である。

荷物置き場と化した3畳の部屋。哀れなフスマも猫には格好の遊び道具となっている。

食事はほとんど外食で済ましているので、台所にはちょっと自信がない。

かわいさというたからもの

「日本の男はどうして大人の女ではなくキンキン声の少女を好むのか」は、在日欧米人にとってほとんど永遠不変の問いであろう。大多数の日本人にとって、少年少女時代は（大多数の欧米人のように）大人になるために一刻も早く通過すべき忌まわしい、あるいは不完全な年月などではなく、むしろできるならずっとそこに留まっていたい失楽園なのだ。だからいい歳をした大人の部屋に縫いぐるみがあつたり、子供向けキャラクター商品にちゃんと大人用サイズがあったりしても、それはなんら珍しいことではない。「エレガント」よりも「キュート」のほうがずっと効果的な誉め言葉であることを、この国に来たものはまず学ぶ必要がある。

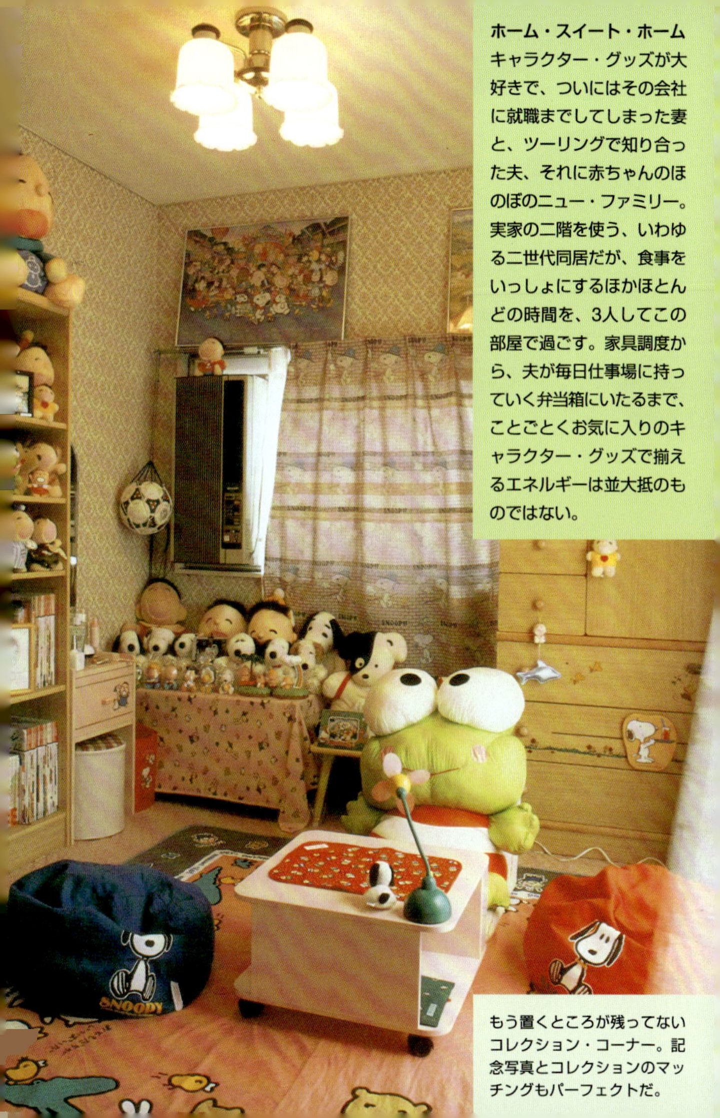

ホーム・スイート・ホーム
キャラクター・グッズが大好きで、ついにはその会社に就職までしてしまった妻と、ツーリングで知り合った夫、それに赤ちゃんのほのぼのニュー・ファミリー。実家の二階を使う、いわゆる二世代同居だが、食事をいっしょにするほかほとんどの時間を、3人してこの部屋で過ごす。家具調度から、夫が毎日仕事場に持っていく弁当箱にいたるまで、ことごとくお気に入りのキャラクター・グッズで揃えるエネルギーは並大抵のものではない。

もう置くところが残ってないコレクション・コーナー。記念写真とコレクションのマッチングもパーフェクトだ。

座椅子の特等席に鎮座する巨大なケロッピ。ミニ扇風機で夏でも快適そう。

入口にかかる暖簾はツーリングの記念。二階なので風通しがよく、明るい部屋だ。

ター坊鏡台はシールを貼ったのではなくて、ちゃんとこういう家具が市販されているのでした。

FASCO

少女の領分

郊外の両親宅から都心のインテリア・コーディネーター養成学校に通う女の子の部屋。壁に取り付けられた棚には「お気に入りの漫画や本は、背じゃなくて表紙を見せたほうがきれいだから」可愛いイラストの表紙を外に向けてきっちりディスプレーされている。コーラの缶を潰して並べたり、ビンに薔薇の花びらをたくさん漬けこんだり、小さな工夫を考えて楽しい空間にするのが大好き。

窓際に置かれたベッド。出窓に並んだコレクションが午後の陽光に溶けあう。

きれいな空缶を潰したり、瓶に薔薇の花びらを漬けたりして自分だけのオブジェを作る。

入口付近。柱に取り付けられた芳香剤の心遣いに注目したい。壁の棚はお父さんに作ってもらった。本は気分で時々並べ替える。

尼寺の午後の安らぎ

2DKのゆったりマンション・ライフを楽しんでいたファッション・モデル。ところがボーイ・フレンドと別れた女友達が続けてふたりも押しかけてきて、以来賑やかな3人生活を送るようになってしまった。台所、それにひと部屋はテレビを観る場所、もうひと部屋のベッドにふたりが一緒に寝て、あとのひとりはその脇に布団を敷いて寝る毎日。もはやゆったりとは言い難いが、窓が多くいつも陽あたりがいいから、そんなに狭苦しい感じがしない。

ブランケットをかけたソファは、伸ばせばベッドにもなる。洗濯機はベランダに、これ日本式マンションの常識。

陽の当たる窓際に置かれた唯一のテーブルと椅子。ここでお茶も食事もみんなすませる。右：玄関。女3人ともなると靴の整理だけで大変だ。

日本のお風呂には、やっぱりお風呂スリッパ（というのでしょうか？）が欠かせません。

編み物のベッドカバー、クッションや椅子の生地など、派手なのにどこか懐かしい柄で揃えてある。ほとんどは救世軍のバザーで見つけてきた。お花見宴会に向けて、ただいまピアニカの特訓中。

ラクロワが教えてくれた
友人のアクセサリー・メーカーを手伝っているが週に半分ほど働けばいいので、たっぷりある暇をいかして救世軍のバザーをまめに回り、好みの品物を探して作りあげた羨ましい部屋。手に入れたものはすべて自分で色を塗ったりちょっとした改造を施し、いかにも女らしいタッチに変えてから部屋に入れる。「ラクロワ風でしょ」と本人が説明する部屋の基本色調が、妙に落ち着いた大人っぽいムードを醸し出している。

徹底した手作り派。卓上スタンドも炊飯器も、みんな捨ててあるのを拾ってきて色を塗ったもの。風呂のガラス戸に貼ったシートの柄も秀逸。

部屋が一階なので、カーテンを閉めていることが多い。家具から小物にいたるまで、不思議な和洋折衷感覚。

家賃1万8000円の6畳間長屋シアター

学校近くに見つけた長屋式の木造アパートに住む、短大の女子学生。6畳ひと間、トイレ、風呂共同で家賃1万8000円。学校まで毎日、自転車で通う。小演劇の熱狂的なファンで、壁は劇団のポスターや写真で埋め尽くされている。とにかく掃除、整理整頓が大の苦手なので、毎日のように学校の後輩が部屋の整頓と御飯づくりに来てくれるのがなにより大助かり。

外に向かって大きく窓が開く。
玄関を使わなくても、窓から
出入りできてしまいそうだ。

ひと部屋に窓ひとつずつ。天気のいい日は窓から布団を干す。郊外らしい広々としたオープンな空気が気持ちいい。

部屋は演劇グッズでいっぱい。ポスターから録音カセットまで、そのコレクションは相当なものだ。トイレは共同なので、自分のトイレットペーパーを持っていく。

流しのまわりは自分で黄色に
塗った。柱に取り付けられた
調味料棚がユニークだ。

テレビの上の記念写真コーナー。ここはいつもきれいにまとまっている。

こだわりキュートネス
ブルック・シールズとマリリン・モンローの好きな東大の女子学生。１ＤＫのマンションにひとり住まいしながら通学、勉強に励んでいる。ファンシー系で揃えた家具調度は、ほとんどを郷里で揃えて入学上京時に運んできた。けっこう気に入っている。

ベッドと勉強机のある部屋。陽あたりがいい。天井の照明スイッチ紐にぶら下がるＵＦＯキャッチャーはワンポイント・デコレーションと実用を兼ねる（ヒモを引っ張ってのオン・オフが楽）。テレビの下のゴマちゃん人形にも注目。

玄関の暖簾をくぐると台所。きちんと整頓されている。まめに自炊するタイプで、食器はピーター・ラビットなどかわいい柄ものが多い。ひとり用食器乾燥器は収納容器としても便利な存在だ。

典型的なマンション・タイプのユニットバス。狭いのにちゃんとトイレ・スリッパを使う几帳面な性格がうかがえる。

アールデコと江戸の邂逅
広めのワンルーム住居。インドや東南アジアからの商品買い付けが商売だが、実はアールデコと人形好きなので、自分の部屋にはお気に入りのコレクションをきれいに並べている。なんといっても目を引く浮世絵柄の毛布は郷里に帰ったとき、母が買っておいたのを貰ってきたもの。アールデコとの異様なミスマッチが気に入って愛用している。

ワンルームだが正方形に近く広々としているので、窮屈な感じはまったくない。浮世絵毛布にふりそそぐ午後の陽ざしがなまめかしい。

鉢植えサボテンらしき物体は、
布で作った小物入れ。サボテ
ン部分がフタになっている。

電車の線路が近いので二重窓にしたリビング・ダイニング・エリア。場所を取るダイニング・テーブルは置かない。

くつろぎは小物から

毎日忙しく、出張も多いファッション・ジャーナリスト。広めのふた部屋のマンションを数年前に購入し、使いやすく改造して住んでいる。料理が好きでよく友人を招いて食事会をするが、ダイニング・テーブルを置かず床に座ってみんなでお膳を囲むスタイル。縫いぐるみなどキャリア・ウーマンらしからぬ可愛い小物が多いが、友達から貰って捨てられなくなったものばかり、と本人は弁解する。

料理好きらしく充実した台所。
カウンターは調理にも、ちょっとした食事にも便利だ。

大きなワープロと大きな留守番電話と縫いぐるみのある枕元。鏡の位置も独特である。

ベッドから入口に向かう眺め。ワンルームだが直接玄関が見えないことでずいぶん広々として見える。

休息のバックステージ
ワンルーム・マンションだが、角部屋なのと窓が多いので明るい雰囲気。玄関からのアプローチがちょうどいい具合に折れ曲がっているので、大型冷蔵庫と調理器具を置くコーナーにしている。踊るのも見るのも大好きなバレエ・マニアで、部屋の装飾もバレエ・コスチュームの端切れなどを使っている。女の子の独り暮らしなのにきちんとした仏壇があるのは珍しい。

窓からはよく陽が入る。カーテンレール・ボックスの上を使って小物を並べている。

棚の上には和洋取り混ぜた収集品が並ぶ。ときどき並べ替えるのも楽しみなひとときと。

冷蔵庫脇の窓際。料理は大好きで毎日自炊する。上段は冷凍庫、野菜類は下段にしまう。

精
CHEESE

子供のころに還りたい

都心のデパート勤め。隔週3日休みの恵まれた環境を生かしてスキー、ウィンドサーフィン、旅行と精力的に独身生活をエンジョイしている。なにより好きなのがスヌーピーで、そのコレクションは年季の入ったもの。仕事場から電車で一本の、郊外の駅前に見つけたマンションだから通勤には至極便利。駅前のパチンコ屋の明かりが夜は眩しかったりもするが、部屋のインテリアと妙にマッチしてもいる。晴れた日には寝室の窓から富士山が見えて気分爽快だ。

リヴィング・ルームはまるでキャラクター・グッズのショールーム。スヌーピー、ディズニー、サンリオからのらくろまで、コレクションは幅広い。巨大なスヌーピーのポスターが圧巻だ。

玄関を入る。ひとり住まいとは思えない傘の量。下駄箱の上も、こぼれそうに混みあう。

上：画面中央、ペアののらくろは音楽に反応して踊りだすスグレモノ。
下：ラジカセの上もテレビの上も、並べられるところには全部並べている。

クローゼットでは入りきらない洋服類。ハンガーラックは必需品だ。

玄関を入ってすぐの、よく整った台所。鍋つかみがかわいいワンポイント。流しのそばに洗濯、乾燥機のスペースもある。

アトリエに布団を敷いて

アーティストの部屋といえば汚いというのがほとんど世界的な常識だろうが、ずっと昔はそうでなかったような気もする。記録に残るいにしえの画家や彫刻家のアトリエは信じられないくらいきちんと整頓されて、実に仕事がはかどりそうだ。乱暴に言ってしまうなら、それはもしかしたら画家や彫刻家が職人であった時代の制作空間だろうか。優れた職人の仕事場が乱雑であるはずがない。そして彼らが職人であることをやめ、アーティストになったとき、その制作環境も大きく変化したとはいえまいか。もっとも優秀な職人ではなく、もっとも向こう見ずな美の冒険者を目指すとき、仕事場はその苦闘の、ごく自然な反映となる。床に散らばった絵の具の染みや書き損じの紙屑で埋まったソファを、僕らの時代はもはや不快なものとは感じない。

工房の24時間
両親が住む住宅街の一軒家の二階に別の出入口をつけ、独立した家として使っている。アクセサリーを作ってブティックに卸したり、ファッションや広告撮影の小道具を作るのが専門の仕事なので、ここは工房兼住居。テレビを見ながら手を動かし、気分転換に食事を作り、疲れたら眠る。材料買い出しとテニスのほかはあまり外出もせず、生活のほとんどすべてがこの空間で充足している。部屋の家具調度は、収納用具からベッドに至るまですべて自作だが、手作り感覚ゼロの精緻なフィニッシュが素晴らしい。

仕事場の壁面には、各種の工具が整然とセットされている。金属からＦＲＰまで扱う素材の種類が多く、工具もそれだけ多種多様だが少しも乱雑なところがないのはさすが。

METRO

真中の壁を取り去って広々とした部屋。手前に置かれているのはマウンテン・ゴリラの頭蓋骨のレプリカだとか。

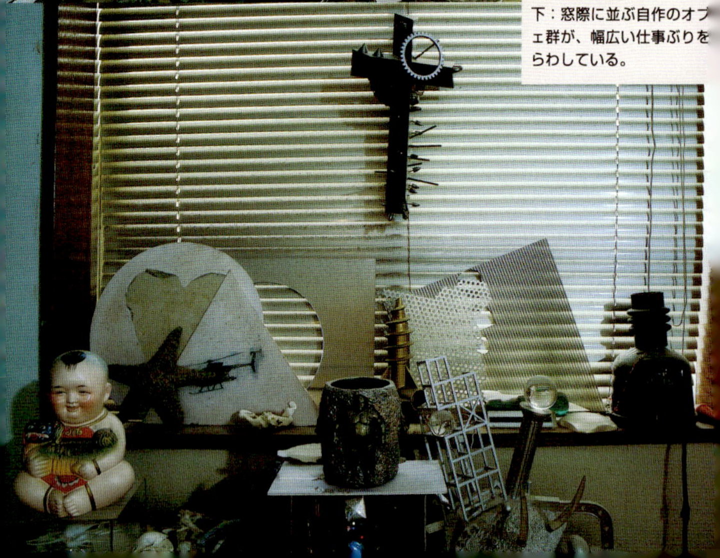

上：作業場の片隅。ただい
ひょうたんを素材にした作
を試作中である。
下：窓際に並ぶ自作のオブ
ェ群が、幅広い仕事ぶりを
らわしている。

アクセサリー用の細かい
が多いので、収納管理に
を使っている。
テレビを見ながら作業で
コーナー。

仕事場から入口（窓のあるあたり）を眺めたところ。整理にかける情熱が伝わってくる。

ADAPT 60L

男と女と帽子とウサギ

木造アパートの二階、2DKのゆったりしたつくりで家賃8万円はずいぶん安い。共働きの若い夫婦の住まいだが、夫は工業デザイナーで朝早く会社に出勤し、帽子デザイナーの妻はむしろ夜型で家での作業が多い。リビングルームには大きなテレビが据えられ、タイムスイッチで早朝オン、夜中までつけっぱなしのまま。夫婦とも外食が多いのでダイニングテーブルがなく、家で食事の時はリビングルームの低いテーブルですます。ウサギを2匹飼っていて、金網で作った大きなウサギ小屋が部屋の中に置いてあるのが、なにも知らない来訪者をぎょっとさせる。

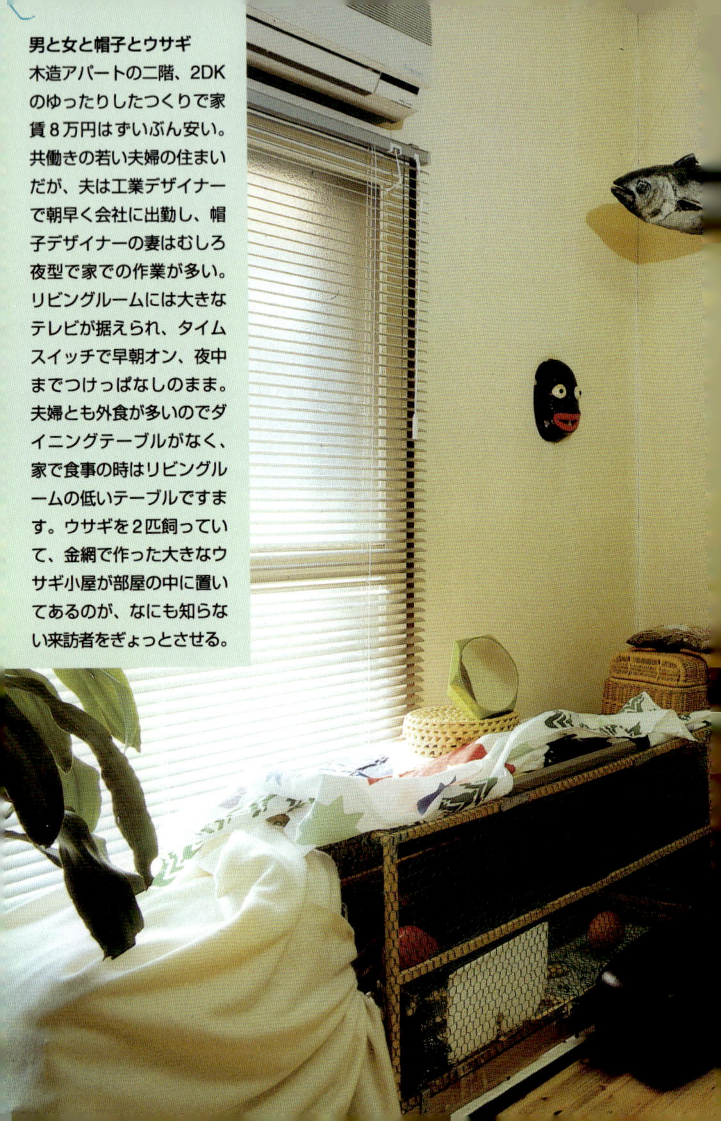

リビング・ルームの窓際に置かれたウサギ小屋。窓の外は物干しになっている。

rban Primitivism
S.G.Mpata
ive in Peace 1985

左：和式便所の手前には、結婚式のために友人が作ってくれたドレス・シューズを飾る。
右：下駄箱の上のディスプレー空間。プラスティック・フルーツに埋もれたカネゴンとグッピーのコントラスト。

玄関から続く台所。電子レンジ下の食品コーナーが、なかなか興味深い。

リビング・ダイニング・エリア。テレビを見るのも食事も、全部ここで済ませている。

CARMINE
LOTION
木工用
ボンド

仕事道具が詰まった奥の部屋。帽子の展示会用に作ったスタンドをそのまま家で使っている。帽子は素材も出来上がった作品もかさばるので、整理が大変だ。

クラフトワーク・カプセル
ファッションの専門学校を卒業したが会社勤めが嫌で、革職人の元に弟子入りしたあと自分の部屋にミシンを置いて、友人から来る仕事などをこなしながらのひとり暮らし。部屋といっても三畳ひと間、そこに工業用ミシンが3台も置いてあるので、夜は隙間に寝袋を敷いて寝ている。ただし整頓は（必然的に）きっちり行き届いており、狭いとはいえ整然とした感がある。料理も得意で、極小の流しでイタリア料理のフルコースを軽くこなす腕前を誇る。

要塞のごとく積み上げられた作業コーナー。古めかしいものが好き。昔の電話器をディスプレーに使ったりしている。

洋服類はけっこう多い。こまめな洗濯、きちんとたたんでしまうのが整理の秘訣だとか。

最大限に活用される押し入れ。寝袋は昼間、下段に入れておけば、じゃまにならない。

となりも古い木造家屋。物干し台があるぶん眺望がひらけ、快適。とても広尾とは思えない下町風の風景だ。

サバイバル・シック
古いアパートなので間取りがゆったりして、特に風呂場が広いのがこの家のいいところ。場所は都心だが、周囲に高い建物がないから陽あたりもいい。ファッションモデル、パフォーマンス・アーティスト、画家といろいろ手を染めるこの部屋の主。どれもあまり儲からないので、家具など必要なものは拾ったりもらったりして調達してきた。たとえばいま寝ているベッド。マットの下は酒屋から失敬してきたビール瓶ケースが並べてあるといった具合。

南に向いて一日中陽あたりのいい部屋。家具類は最少限にとどめるように心がける。

玄関に向かって。学校
重い物を乗せるのに便利。
押し入れ収納スペース。
バス・トイレいっしょだ
々して気持ちがいい。

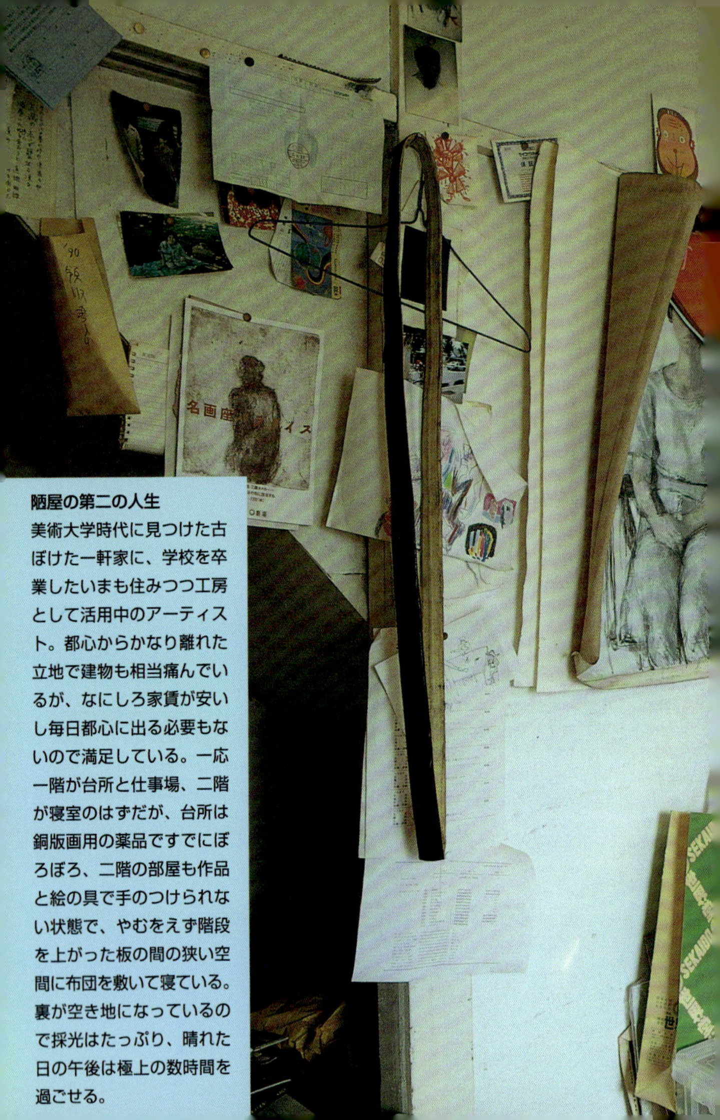

陋屋の第二の人生

美術大学時代に見つけた古ぼけた一軒家に、学校を卒業したいまも住みつつ工房として活用中のアーティスト。都心からかなり離れた立地で建物も相当痛んでいるが、なにしろ家賃が安いし毎日都心に出る必要もないので満足している。一応一階が台所と仕事場、二階が寝室のはずだが、台所は銅版画用の薬品ですでにぼろぼろ、二階の部屋も作品と絵の具で手のつけられない状態で、やむをえず階段を上がった板の間の狭い空間に布団を敷いて寝ている。裏が空き地になっているので採光はたっぷり、晴れた日の午後は極上の数時間を過ごせる。

傘がぶらさがっているところが入口。左側の壁の裏に、二階への急な階段がある。

上：もとはここが寝室だった。絵の具まみれの畳が哀れ。
右：外観。さすがに古ぼけてはいるが、裏がまるごと空き地になっているので開放感は抜群。おもてに置いた洗濯機がポイントと見た。

上：二階に上がったところ。板の間に布団を敷いて寝ている。窓際で、冬の隙間風がつらいのが難点。

CADEX

足の踏み場もない一階の仕事場。窓の向こうが裏の空き地なので、採光は充分。しかしこの混乱の中、冬場ストーブ全開で仕事するのはちょっと危険な気もする。

名画座
PARCO

蔵書の重圧

グラフィック・デザイナーとして忙しい日々を送っていたが、絵が描きたくなって休職し、ワンルームの小さなアパートを借りて制作三昧の毎日。風呂なしだが、友人や行きつけの飲み屋が多いエリアなので不満なし。デザイナーという職業柄もあって蔵書が多いのに、部屋には収納スペースがなかった。壁からトイレの中まで、出来るところすべてに自作の本棚を取り付けたもののすぐに飽和状態となったいま、本の重みで傾いて危険な部分も見受けられる。

部屋の全景。壁からベッドの下までめいっぱい収納に利用。電気器具はほとんどを拾うか、もらうかして揃えた。

トイレット・ライブラリー。
これだけ本があれば長時間の
しゃがみも快適にちがいない。

入口あたり。下塗りを施した
紙を壁にとめて乾かしている。
右が台所兼用具置き場になる。

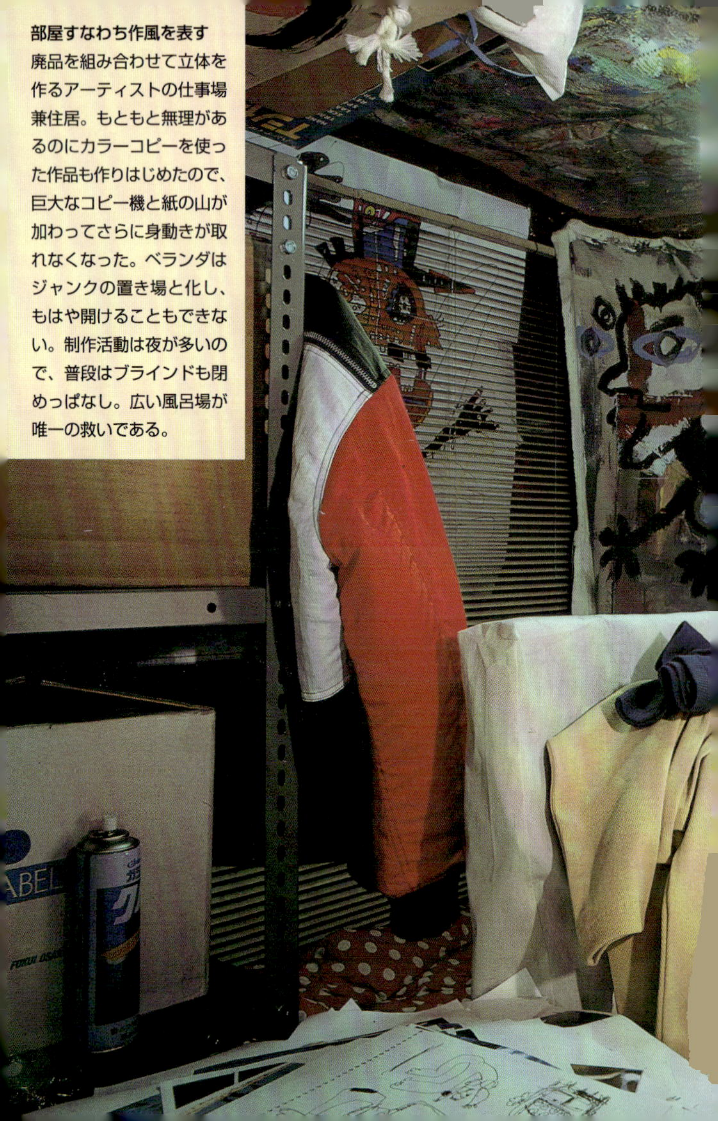

部屋すなわち作風を表す
廃品を組み合わせて立体を作るアーティストの仕事場兼住居。もともと無理があるのにカラーコピーを使った作品も作りはじめたので、巨大なコピー機と紙の山が加わってさらに身動きが取れなくなった。ベランダはジャンクの置き場と化し、もはや開けることもできない。制作活動は夜が多いので、普段はブラインドも閉めっぱなし。広い風呂場が唯一の救いである。

壮絶な仕事場。奥にベッドが置いてある。手前には巨大なカラー・コピー機がある。

陽あたりはいいのだが、ふだんはブラインドを閉めっぱなしで仕事をしている。窓の外にはベランダを利用したジャンク置き場がある。

Letraset
FABULOUS

入口を見る。おとなひとり通り抜けるのがやっとだ。作業で汚れないように、洋服ラックにはカバーをかける。

窓の大きい、気持ちよさそうな風呂場。観葉植物も調子いいらしい。

暗室で見る夢

独立したばかりの若いカメラマンの、住居兼暗室。作業時はカーテンを閉めきってこのひと部屋で現像から引き伸ばしまでこなす。部屋の広さにくらべてやけに大きなソファは、撮影に使ったのを貰いうけた。昼間はソファ、夜はベッドになる便利な存在だ。

部屋はフローリングのワンルーム。一階だが住宅街で静か。「まだあんまり仕事がなくてヒマだから」作ったオブジェがテレビの上に並ぶ。

部屋のかなりの部分を占める
サテン地張りソファ。大柄な
体格でも楽々眠れるサイズだ。

奥から玄関を見る。右側にバス・トイレ。靴はしまわず、玄関で脱いで並べておけば外出に便利なのだ。

安いのは和風

安い部屋を探そうというとき、まず考えるべきは立地、環境ではなく建物の種類である。二階以上の高さをもつ集合住宅の場合、日本語では鉄筋コンクリート造の建物をマンション、木造をアパートと呼ぶ不思議な原則がある。安いのは、もちろん木造アパートである。木造は内装もごくシンプルかつ伝統的な和風であることが多い。畳の部屋がひとつかふたつ、ふすまがあって押し入れがあり、小さなトイレと風呂がついていればいいほうだ。そして簡素な暮らしを考えるとき、和風は実に便利で使い勝手がいい空間になる。畳はリビングルームにもダイニングルームにも、布団を敷いてベッドルームにもなる。鴨居や長押は棚にもコート・ハンガーにもなる。家具のない暮らし、それは和風でしか味わえない快感だ。

インテリアよりもインテリジェンス

新宿の高層ビル街のそばにある古い建物に暮らす若いカップル。男は日本人の雑誌編集者。女は会社勤めのオランダ人。部屋は三階にあり一階はピザ屋、二階にはドアの両側に監視カメラ付きのヤクザの事務所という、いかにも新宿らしい環境である。平日はふたりとも忙しいので、週末は畳に正座してＤＪ用機材をいじったり、風呂場を暗室に写真のプリントで静かな時間を過ごす。

入居したときのまま、なるべく手を加えることなく住もうとしている。ふたりともインテリアには、まったく無関心。

飾り気ゼロの空間が、不思議にリラックスした空気を醸し出している。

窓に面したＤＪコーナー。書棚には哲学系のアカデミックな蔵書が並んでいる。

SHINRO OHTAKE
CORAL
GER CZUKAY

晴れた日に現場が見える
ミュージシャン志望だが、まだ売れないので雨の日以外は工事現場で働いて生活する勤労青年。駅から歩いて20分近くかかる木造アパートだが、バス・トイレ付き、二部屋で家賃約4万円というのは安い。東京には、探せばまだこんな物件がけっこう見つかる。家具はすべて、散歩の途中などに拾ってきたもの。鴨居に干したTシャツとジーンズは大切な作業着だ。

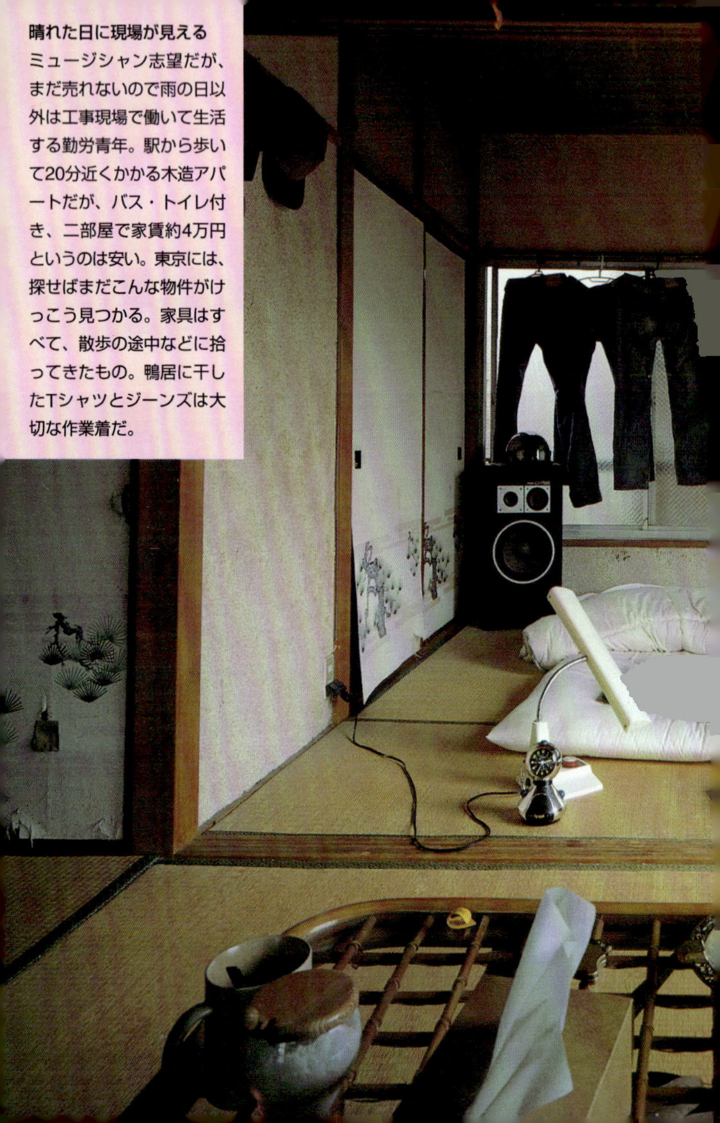

古いが間取りのゆったりした和室。適度に傷んだ襖が雰囲気を添えている。

クリネックス

ちゃぶ台のなごみにはまる
築20年以上、年季の入ったマンションにひとり住む。台所プラスひと部屋だが、古いだけあって間取りはゆったりと広め。南に向いた大きい窓が、明るく開放的な雰囲気をつくっている。窓枠がアルミサッシでなく鉄枠というのもいまどき珍しい。ファッショナブルなブティックに勤める女の子とは思えない古びた和風家具調度は、休みの日にこまめに古道具屋を回って見つけてきた。冬の夜はちゃぶ台に鍋をのせ、うどんすきをつついて想いに耽る。

円形スツールとちゃぶ台のある昭和30年代風コーナー。古い建物は、造作に無駄があって居心地いい。

上：シンプルだがこれで充分に実用的な台所。
下：膨れ上がった洋服ラックは、埃よけと目隠しのために布を被せておく。

古びて壁の塗装もところどころ剥げかかっているのが、逆に落ち着きを与える風呂場。

入口と台所に向かった眺め。いちばん奥が風呂場になっている。ビニール袋にくるんである布団は来客用。

鉄の窓枠とすりガラスがうれしい。ただし錆びかけていて、開閉にはけっこう力がいる。

陽だまりで針仕事

オートクチュールのスタジオで働く青年。勤め以外に個人的な仕事を取ることもあり、アパートの押し入れにミシンを置いて作業スペースをつくっている。窓際なので、天気の良い週末働くには気持ちいい環境だ。コンクリートの感触が嫌いで、住宅地に木造のアパートを探して見つけたのがこの部屋。隣家の広い庭に面していて、部屋自体は狭くても閉塞感がないのが気に入っている。

台所からベランダに向かって。角部屋で陽あたり良好。窓からは隣家の緑が楽しめる。

窓際のミシン・コーナー。押し入れをうまく利用。外のベランダには洗濯機がある。

雑誌は積み重ねておくと乱雑なので、きちんと並べて立て、上から板を載せておく。

よく料理するので、台所は狭くとも充実。柱に下がるサメは、プレゼントの鍋つかみ。

玄関を入ると、いきなり靴のコレクションが目に入る。革靴にはひとつひとつシューキーパーを入れて、丁寧に扱う。

センショウ
Kalita

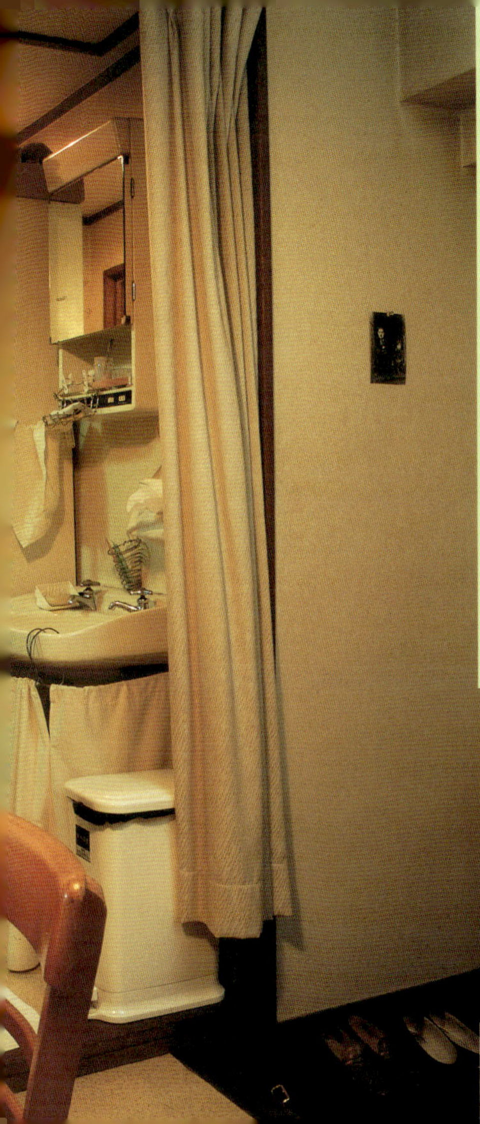

ハード・ワークの合間に

現代美術専門の画廊で、展覧会の企画からアーティストとの交渉まですべてをこなす、驚異的に忙しいキュレーターの部屋。海外との時差から深夜でも明け方でも連絡が入り、自宅にもファックスが欠かせない。現在専門学校で勉強する妹と同居中。姉はベッドで、妹はその横に布団を敷いて寝る毎日を送っている。妹の勉強部屋までは確保できないので、キッチンのテーブルにパソコンを置いて食卓兼勉強机にする。でも出張だけで年に十数回という海外と東京を往復する生活だから、身のまわりのプライベートな調度はなるべく和風にこだわるよう心掛けている。

いろいろ用途を兼ねたダイニング・テーブル。コンピュータも仕事も、みんなこの上で。

上：姉妹の枕元。布団は
たたんでしまっておく。
下：寝室の押し入れは満

から寝室を見る。ところ
ろに置かれている和風の
が効果的だ。

クローゼットと書庫を兼
部屋。朝の慌ただしいお
タイムもここですます。

わりの空間。トイレと風
が右側に並ぶ。針金を曲
作った歯ブラシ入れやカ
ンレールが楽しい。

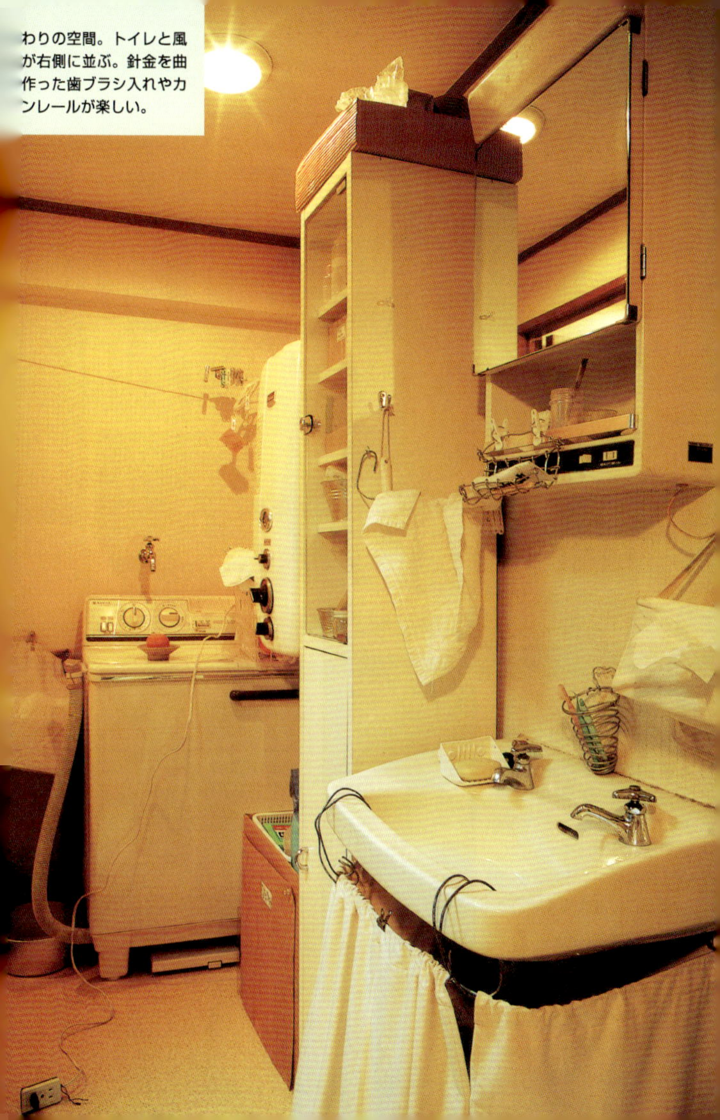

夢は夜ひらく
オトナの漫画とテレビ番組に関する記事を書いて生活するライターの部屋。仕事柄いつもテレビを見ていなければならず、チェックし忘れのないよう楽譜の譜面台にテレビ番組表を開いてある。パソコン通信にも凝っていて、生活はほとんど昼夜逆転。従って陽当たりの悪さは気にならないのだが、すぐ脇が広々とした公園で気分転換の散歩にはもってこいの好環境である。

仕事机のあるあたりを、窓の
側から見る。奥の右側が玄関、
左側が台所になっている。

不思議なつくりの玄関。柱の
手前で靴を脱ぐ。台所は洗面
台としても機能している。

仕事柄取っておかなくてはならない資料が多く、収納には苦労する。奥の右側がトイレ。

奥の部屋が寝室。カセット・テープ山脈が見事。なんの飾り気もない、その居心地よさ。

SR90
AKAI

なければ作る、これが基本

小さな鉄工所の二階を女ふたりで借りて共同生活。ひとりは建築関係の会社勤め、もうひとりは現在失業中。工場の敷地に合わせて不規則なかたちに部屋が並ぶが、全部で3部屋、50平米以上、ベランダ7畳、トイレふたつで家賃10万6000円とは恵まれている。寝室には二段ベッドを置いてふたりで使い、横にお客様用のベッドも完備。風呂がないのだけが難点だったが、風呂店の外に捨ててあったポリの浴槽をもらってきてブロックの上に据え、湯沸かし器を調達して自前の風呂を作ってしまった。立派です。

約10畳の広いリビング・ルーム。右側には2畳半ほどのクローゼットもついていて、女ふたりでも楽々のサイズだ。

力作の風呂場。もとは洗濯機置き場だったスペースを、むりやり改造してしまった。

広い物干し場。洗濯物を干す
だけでなく、夏の夕涼みにも
快適な場所である。

上：玄関を入るとまず6畳の「勉強部屋」がある。床の間の天井には色のついた天窓があり、夕陽がさすと妖艶な雰囲気。
下：台所。設備は整っている。

床のタイル、正面と足元の採光、棚のデコレーション、長居できそうなつくりのトイレ。

二段ベッドのある部屋。横には来客用のエクストラ・ベッドも完備してある。

モノにくるまって

モノは日本語では物、事物を表わす。mono-maniacs＝「物への偏執狂」というわけで、まことに適切な言葉ではある。なにかが好きになり、のめり込んでいくうちに自然と部屋がいっぱいになっていく。壁が埋まり、床が埋まり、天井が埋まり、空間はだんだんと直線でなく柔らかな不定形のカーブを描くようになる。そこはごくパーソナルな空間であると同時に、趣味を同じくするものにとってはどんなに贅沢な部屋よりも最高に居心地のいい場所となる。膨大な量の物で溢れ、しかしコレクターの部屋とは微妙にちがう温度を感じる。その温度差は、一見手のつけようもないほど雑然とした中から暖かく放射してくる、住み手の純粋な情熱なのかもしれない。

豊饒なる方丈

ＤＪ見習い少年が住む三畳ひと間の木造アパート。トイレも風呂もついていないが、仕事が多い新宿から歩いて帰れるエリアで2万7000円という家賃は魅力的である。この部屋でレコードのチョイス、テープ制作から楽器の練習までなんでもこなす。収納スペースがまったくないから、持ち物はすべて壁と天井と床を最大限に使ってディスプレーしている。常人とは生活時間帯が正反対なので電話は持たず、ポケットベルで連絡はすます。呼ばれれば近くの公衆電話に走り、出たくなければ放っておく。電話を引くのにくらべてずっと安上がりなのがなによりうれしい。

奥に小さな流しのついた三畳。すさまじい量のディスプレーは装飾の域を超える。

THE CRAMPS
Zippo

わずかに残る床のスペース。画面左上が入口、右側がすぐにベッドという配置。

ROCKHOUSE PRESENTS
PSYCHO
SPELLBOUND
月光浴
CRAMPS
GRAVEST HITS
PASS

なんと番地がない、都心のエアポケット。住民登録ができないかわりに税金もない。

SUPER FLY · SHAFT

部屋全景を窓の外から覗いたところ。向かって右側が入口。荷物を乗り越えて入る玄関、裸電球のある流しが見える。

コレクション心中願望

音楽評論家の住居兼仕事場。猫が好きで何匹も飼っているのでマンションには住めず、家賃が安い古びた一軒家を郊外に探して住んでいる。猫はよろこんで毎日遊びに出かけるから、畳には帰ってきた猫の足跡がたっぷり残っている。毎日増え続けるレコードとＣＤのコレクションはもはや整理不可能で、仕事部屋の床はすでに重みで傾きかかって危険な状態である。

BOSE
590
500

コレクション・ルーム兼書斎。毎月増えていくばかりのレコード、CD、掲載誌の山。これ以上高くなると倒壊の危機。

コレクション・ルームのとなりにある居間の一角。窓の向こうの縁側から猫たちが自由に出入りする。

STEREO VIDEO CASSETTE RECORDER
HR-D 530
Heat WAVE
THE MOTOWN FACT BOOK

役者と力士と水割りと

ファッション業界で20年以上仕事を続けているスタイリストのひとり住まい。新宿という好立地のマンションで、広い二部屋にバルコニーがついてゆったりした間取り。しかしこの20年で一度しか引越していないというだけあって、どの部屋も洋服やアクセサリーで溢れている。整理用に組立式の物置を買ってバルコニーに据えたが、あっというまに満杯となった。歌舞伎と相撲に凝っていて、ビデオや雑誌の山に囲まれて水割りのグラス片手に夜を過ごすのがお気に入り。

リビング・ルーム。ソファの下まで収納に活用されているのがわかる。窓の外の広いベランダに物置がある。

COMME des GARÇONS

ダイニング・エリアの食器棚。棚の裏側が台所で、両側から食器類を取り出せるようになっていて使いやすい。

MILD SEVEN

柱の脇を利用して並べた本。
忘れないように切り抜きも壁
にとめておく。

テーブルの下には新聞や雑誌がすぐ溜まってしまうが、飲み食いしつつ手を伸ばせばいい便利さも捨てがたい。

バスルームに入ると、洗面シンクに落ちてきそうな化粧品の山。壁のかわいいタオル掛けにも注目したい。

生活というゲーム

女流漫画家の仕事場兼住居。広い2ＬＤＫのマンションを友人の男性と共同で借り、お互いひと部屋ずつ使って趣味の合うものどうしの気楽な共同生活を送っている。共通の趣味はテレビ・ゲーム。リビング・ルームには大型のモニターと各種ゲーム機が揃い、しばしば友人をたくさん呼んでゲームと酒盛りの夜を過ごす。男性が料理好きだから、日常生活はよけい快適。

ゲーム・コーナーから台所を見る。宴会が多いが、まめに片づけるのでいつもすっきりした室内。

各種ゲーム機が揃って、いつでもプレイOK状態。今夜も白熱の長い夜が展開する。

窓際に置かれた執筆デスク。
横には常に布団が敷かれ、倒れ
込めるようになっている。

サーファーズ・パラダイス
若いサーファーのカップルが暮らす家。男はペンキ職人、女はパートで生計を立てながらサーフィンを続けている。東京周辺部の小さなビーチ・タウンだが、ボードを抱えて歩いて海に行けるのがいい。風呂場が便所と別でゆったりしているのも、海から帰ってなにかと便利。このごちゃごちゃの空間の中で、犬も飼っているからたいしたもの。

テレビを見るコーナー。ふたりの思い出の小物がいっぱいにディスプレーされている。

玄関横の台所まわり。壁一面の窓が開放的だ。友達がたくさん来るので、グラスは多い。

サーフボード・ラックの奥が風呂場。広くてウェットスーツを洗うのにも便利だ。

上：すだれの奥が、押入を改造した収納スペースになる。
下：窓からの出入りも可能。柱のパイナップルは照明内蔵。

水タンクの上の造花がいい味だしているトイレ。便座カバーとともに現代日本の風物。

24時間オーヴァードライヴ
超売れっこの少年漫画家だが、実はバイク好きのヘビメタ少女。七色のロングヘアーを振り乱し机に向かうこの部屋は、一応仕事場ということになっているがほとんどの時間を過ごす。普段はひとりだが、締め切り前になると何人もアシスタントが来て合宿状態になる。いつでもどこでも仮眠が取れるように、部屋のあちこちにはクッションが山積み。資料とコレクションと仕事道具で足の踏み場もないこの空間に、多いときは５、６人のスタッフがカンヅメになって徹夜の日々を送っているのだ。

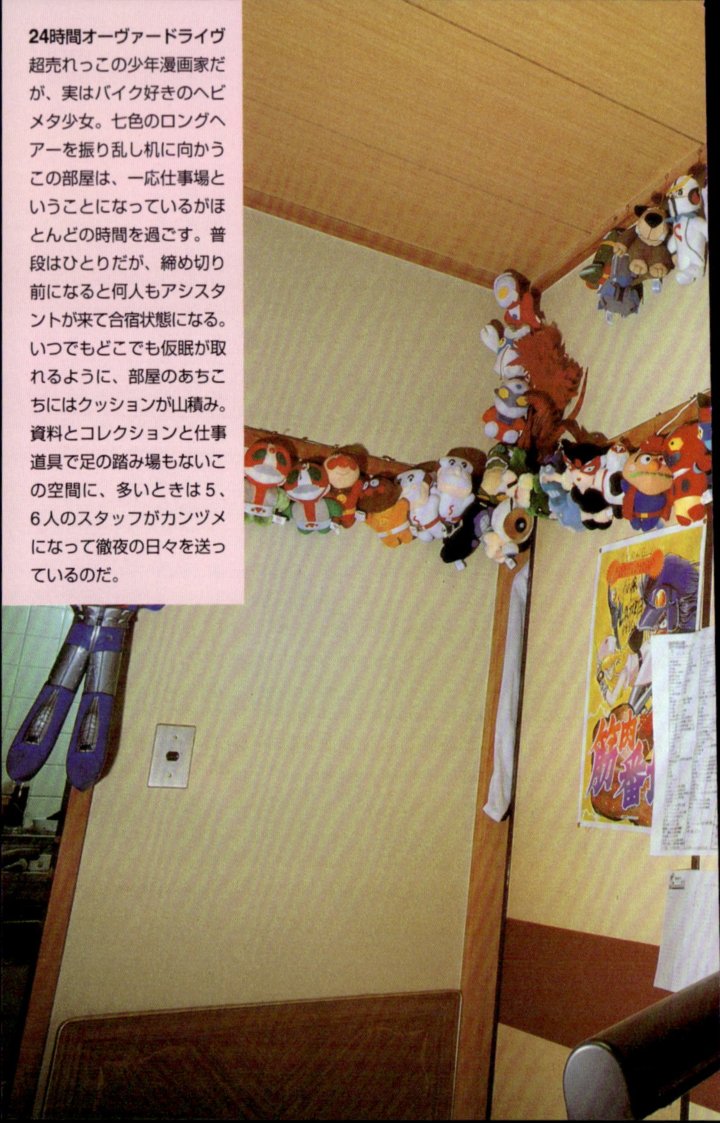

仕事部屋の天井。ＵＦＯキャッチャーの戦利品がずらりと並べられて壮観である。

光の消えることのない（？）仕事場。カラフルな中にも戦場の緊張感が漂う。

8/7発売
SF妖怪八拳伝
『学研』
MASKING SHEET
MASKING SHEET
inverter
2700
1800
NORA

二段ベッドの脇は漫画コレクションの壁。前後二列のスライド本棚に収まる量は膨大だ。

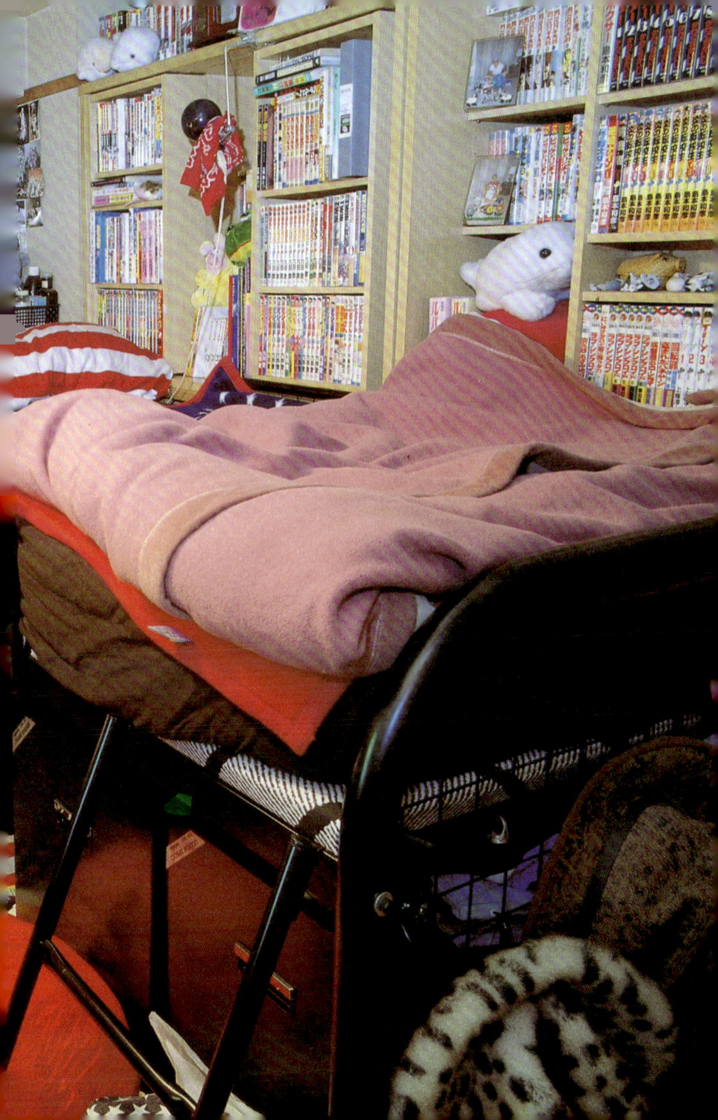

ベッドを置いた部屋にもスチール棚が並ぶ。奥のデスクで作品の想を練る。

トライダーG7
MARILYN MONROE
PORTLAND HOUSE
スクリーン
VITAMINS
CLIPS
CLIPS

ベッド横の隙間にはたっぷりのクッション。ここでもスタッフひとりが仮眠できる。

東南アジアの木彫からエッチ・ビデオまで多彩な資料が仕事場を埋める。標語もマジだ。

ホモ・メカニクス

クルマ好き、プラモ好き、ミリタリーおたくと趣味にひたすら入り込む会社員。デザイン関係の仕事で、家でも副業のグラフィック・デザインの仕事をこなすからマッキントッシュが必需品。狭くはないマンションだが、あまりにもコレクションが多くてもともとの広さがよく分からない。駐車場も近くに2台分借りているが、すでに足りなくなり困っている。

仕事場兼リビング・ダイニング・ルーム兼寝室。押し入れの下段に布団がしまってある。

ESCOPE Vixen
SANYO
SWP-M91
ワードプロセッサ
sanword 91
BATTL
04
01
02

すだれの左側が台所。引越しのことを考えると捨てられないパソコンの段ボール箱は、けっこう厄介な存在だ。

物置と化したライティング・ビューロー。もはやここで書きものはできない。

ボロに住んでもこころはビート・ゴーズ・オン

雑誌編集者。現在はマッキントッシュのローンを返済すべく大手出版社に出勤している。アイドル歌謡曲とテクノ・ポップに造詣が深く、たまにワンナイト・クラブをオーガナイズする。部屋はぼろぼろだが、家賃を削って集め続ける音楽関係の機材やコレクションにはかなり高価なものがある。食事はパンやカップ麺で大丈夫だから、流しはお湯さえ沸かせればいい。

枕元のスペース。カタマリとなって転がっているタコ足配線が、ちょっと怖い。

Adobe

マッキントッシュからサンプリング・マシンまで高価なテクノロジーが極小スペースにひしめいている。

本が壁から生えてくる

夫は大学で哲学を教え、妻は中学で美術を教える知的夫婦のマンションは本、本、本の洪水。専門書だけでなく雑誌や漫画も取り揃え、特に少女漫画のコレクションはなかなかのもの。気分転換は料理とテレビ・ゲーム。毎夜ボリュームたっぷりのフランス料理の大皿が並ぶダイニング・テーブルにくっついた、大画面のゲーム用テレビ・モニターが目を悪くしそうな迫力だ。

どの部屋の、どの壁を見ても本棚ばかり。壁から生えてきたのではと思いたくなる。後列にハードカバー、前列に文庫本の前後二列使用がここでは常識となっている。

テレビ・ゲーム・コーナーでもある食卓の風景。夫婦間で熱戦がくりひろげられる。

書斎。右奥が入口だが、本棚にさえぎられてドアが半分しか開かない。地震のことは考えないようにしている。

GEMS

子供の王国

「ヨーロッパでは子供時代というのは、一刻も早く過ぎ去るべき未熟で不完全な年月だけど、日本というか、東洋では人生でいちばん幸福な時代だと思われてるような気がする」と、東京に住むイギリス人が言っていたのを思い出す。これがいまの東京の状況にそのまま当てはまるとは限らないけれど、実にお洒落なインテリア空間でクールなファッショナブル・ライフを楽しんでいた若い夫婦が、子供ができたとたん生活も、インテリアも一挙に子供中心になってしまう例はよく見られる。大理石のテーブルトップは、角の丸いデコラの天板に変わり（頭をぶつけないし汚れても拭きやすいからね)、モノクロームだった部屋の色彩は、突然ファンシーなパステル・トーンになる。「かっこ悪いだろ」と部屋の持主は苦笑するけれど、前にはなかった温かみが、別種の居心地よさを醸し出していることに彼ら自身だって気がついていて、その安心感がこちらにまで気持ちよく伝わってくる。

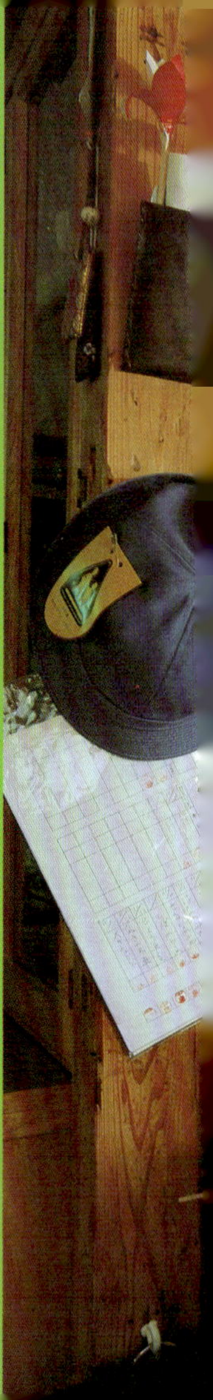

壊れるまで使い切る

戦前の町並みが残る下町の一角に、古びた一軒家を見つけて住んでいる夫婦と小学生の娘の三人家族。夫の仕事は建築プロジェクトのコーディネイト兼建築雑誌の編集者。都心のオフィスに通勤するには渋滞が気にかかるところだが、いつも朝5時か6時ごろには家を出て愛車のミニクーパーを飛ばし、15分足らずで到着、そのかわり夕方はなるべく早く仕事を切り上げるスタイルを何年間も続けている。建築の知識を生かして改造できるところはできるだけ手を加え、住みやすい空間にするよう心掛けている。かなり古い木造家屋だけに、冬の隙間風だけは防ぎようがないが。

娘の勉強コーナー。部屋が別れていないぶん、家族のコミュニケーションは濃密になる。

上：道路角に面しているが、
住宅街で車の往来は少ない。
物干し台も年季が入っている。
下：右奥が台所。収納も考え
尽くされたものがある。

玄関から内部を覗く。雑然としているようでいて、あるべきものがあるべき場所にある。

左：二階が寝室になっている。
娘のベッドはハシゴの上。

Room
Contents

21世紀こども百科
scottie

リビング・ダイニング・エリア。家具のチョイスがさすがに専門的。テレビはわざと小さいのを使用している。

普通がいちばん

東京郊外の典型的な一戸建て和風家屋に住む、グラフィック・デザイナーの一家。夫、妻、小学生の娘ふたりの家族構成で父の時代からもう20年以上、ほとんど改装することもなく住み続けている。都心のオフィスまで片道2時間ほどもかかるから、平日は帰って寝るだけ、家は完全に妻と娘中心のインテリアになっている。とはいえ緊張感に満ちたデザインの世界に丸一日没頭したあとは、ごちゃごちゃな家庭の雰囲気こそリラックスの秘訣だとか。

愛娘ふたりのために、いちばん広い部屋が子供部屋になっている。小学校は歩いてすぐ。授業のあとは毎日たくさんの友達が来て遊んでいる。

上：引き出しの上に整理された小物類。
左：日本中、どこにでもある郊外住宅地の風景。年代物の木造住宅を大事に使っている。

子供部屋の入口付近。整理しても整理しても、ものは増えつづけていくばかり。

Mickey
TOMY
マイミ

居間のコタツが一家団欒の場。外には小さな庭がついている。ガラス戸の奥が、長年使い込まれた風格の台所。

PianoPlus

整理整頓のサバイバル

オーディオ・メーカーに勤める技術者の夫と妻、子供の三人暮らし。マンションの角部屋の狭い１ＤＫで、台形の変形空間だが隣が緑地で閉塞感がないのが救い。リビングルームと子供の遊び場と寝室を、ひと部屋でこなさなくてはならないうえに収納スペースが少なく、整頓には常に気を配らざるをえない。布団は毎朝畳み隅に積んで布をかけ、洋服はケースから直接出し入れする。外に自転車置き場がないので、夫と子供のと2台とも部屋の中に置いておかなくてはならないのが、また大変である。

夜には寝室になるリビング・ルーム。布団には布を掛けて目隠ししておく。

収納スペースの少なさはまめな整頓でカバー。

台所。調理器具や素材がきちんと整理されている。

ティーンズ・ライフ拝見
郊外型ニュータウンに造成された団地の典型的ユニット。会社員の父親とアートフラワー作りに熱心な母親、十代の娘ふたり。娘はふたりでひと部屋を共有して机を並べ、夜は布団を並べて敷いて寝る。部屋の装飾はほとんどすべて母の手作りになる。

机が並ぶ勉強部屋。夜は机の足元に布団を敷く。椅子の下に揃えたスリッパに注目。

机の上をチェック。真中にあるネコじゃらしは家族の新メンバーの子猫用です。

グランドピアノが目を引くリビング・ルーム。猫はソファで気持ちよさそうにお昼寝。

住まいの必要十分条件

インテリア・デザインに本質的になんの興味も持たない人たちがいる。こういう人たちの頭に「模様替え」という言葉は存在しないから、新しい部屋に引っ越してきても壁紙をどうしようとか、収納が充分かとかは考えもしない。部屋にあるもの、ついているものを使って、足りなければそこら辺で買うなり拾うなりして適当に置いておくだけ。必要なものが必要な分だけ機能すれば、それで十分なのだ。壁とカーテンと家具の色のマッチングだとかよりも、彼らにはもっと他のことに時間とエネルギーを使いたい人種である。

料理嫌いでよかった

ダイニング・キッチンともうひと部屋、ひとり住まいにはけっこうな広さのアパートに住む女性音楽ライター。とにかく掃除が嫌い、しかも夜型なので、朝のゴミ収拾時間に間に合わず、いつのまにか台所は黒いゴミ袋が山になってしまう。ただし料理はほとんどしないで買ってきたもので済ますから、生ゴミは出ない、つまりゴミ袋は溜まっても臭くはないのが救いではある。

玄関を入るとすぐ台所。黒袋の山がそびえたつ。テーブルの下の新聞も、別に溜めているわけではないのだが…。でも食事やお茶の友には、ちょっと手を伸ばせばいいだけだから便利でもある。

玄関と食卓を、寝室側から眺める。食卓下の充実した新聞コレクションに注目。

寝室。友達と遊びでバンドも
組んでベース担当。古いスピ
ーカーはちょっと自慢だ。

床上整理で省家具生活

男のひとり住まい。高校卒業後、ミュージシャンを目指して荷物を小さなバイクに積み、九州から一週間以上かかって上京した。郷里でそうだったようにまわりに緑が欲しくて、多摩川のそばに見つけたアパート。普段は静かな郊外だが、競艇場が近くにあって週末だけはたいへんな混雑になる。まだ音楽では生活できないので、郷里から一緒に上京したバンド仲間たちと毎日工事現場で働いている。部屋に家具らしい家具はひとつもない。必要なものは全部、床に並べておく。

窓際に寝ころんで台所と玄関を見ると、こんな感じ。家具がないぶん広さ満喫。

上：寝室。洋服だってたたんで並べておけば、このとおり一目瞭然である。
左：まわりには畑も残る、のんびりした環境。

陽あたり良。銀色のキャンプ用シートは、上に座っているとけっこう暖かいのだ。

レーベンブロイ
LÖWENBRÄU
LÖWENBRÄU
Surf

シンプルを極めた台所。拾ってきた業務用冷蔵庫は、音がうるさいのがちょっと欠点。

使わないからきれい？

築10年以上の古いアパートだが、それを感じさせないこざっぱりときれいな住みかた。ファッション・ショーの運営をする会社に勤めているので、仕事時間は不規則になりがち。朝から夜遅くまで帰れないことが多い。当然、食事は三食とも外食だから台所はごくすっきりしたもの。夜中にこっそり持ってきた広告看板だけが目立っている。ベッドの横には友達からもらった三輪車があるが、これはサイドテーブルの役目を果たす。飲み物を乗せるところもあり、ハンドルにぶら下がったコンビニ袋はゴミ箱代わりになるし、どこへでも引っぱって動かせるのがなにしろ便利だ。

藤カーペットを敷きつめて爽やかな雰囲気。バタフライ・チェアがアクセントになる。

上：三輪車サイドテーブルのある枕元。
下：ちょっとしたディスプレーにも気を遣う。

仕事柄、どうしても洋服類は多くなってしまうが、きっちり整理されている。

入口に向かった眺め。右側にトイレがある。撮影用に片づけたのではなくて、いつもこんな感じなのだとか。

独身寮の週末

化粧品メーカーの社員用独身寮。最近出来た建物はまだきれいで、独身男性寮という雰囲気はない。すべて個室のワンルームで、ユニットバスもついている。さすがに化粧品メーカー勤務らしく、みだしなみ関係の持物多し。鏡台スペースのある男の部屋というのも珍しい。ボクシング・トレーニング用の人形をサンドバッグがわりに置き、腹の立ったときに殴りつけてストレス発散。一応禁止はされているらしいが、週末はほとんどガールフレンドを呼んでこの部屋でいっしょに過ごす。

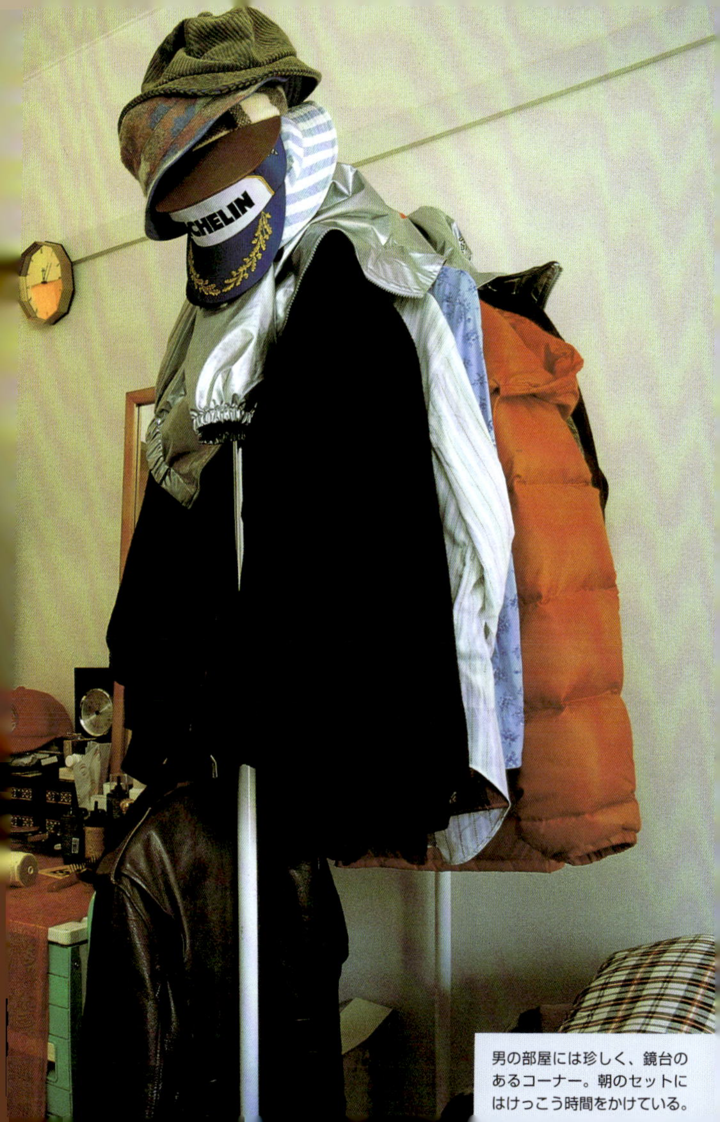

男の部屋には珍しく、鏡台のあるコーナー。朝のセットにはけっこう時間をかけている。

おしゃれなマンション・タイプの独身寮。場所も都心の好立地にあって、使い心地よし。

きれいに整った枕元を眺める。
万能のトイレット・ペーパー
は欠かせないアイテムだ。

SONY
DIATONE
TEAC
AKAI
大辞林
ウィーン世紀末
MAN RAY
Victor
C-14N
SHARP
NEC
Betamax
SONY
VIDEO CASSETTE RECORDER

左：ベッドの向かいに積まれたAV機器類。
右：玄関に並んだシューズ・コレクション。

安楽人生のすすめ

週3日だけ会社勤務しながら、女ひとりの優雅なアパート生活。しばらくロンドンで暮らしたあと帰国。家具、日用品から古着まで、必要なものは全部バザーで探して安く揃えた。台所とひと部屋だけの小さな空間だが、家に仕事を持ち込むわけではないので充分。救世軍のバザーで見つけたというカラフルな照明器具が目下のお気に入りだ。

台所から、奥を眺めたところ。
1階だが、意外に陽当たりが
いいのはラッキーだった。

Toys

左：ライティング・デスクにキーボードを置いて、童謡の練習中。お花見で披露予定。
上：クローゼット。古着のほうが安いし楽しいから。

押し入れも床のうち

片側5車線、高速道路も通るメイン・ストリートに面した古いビル。小さなひと部屋を借りて住む、ミュージシャン志望のアルバイト生活者がいる。トラックが通るたびに部屋は揺れるが、すぐに慣れたし、1階が24時間オープンのコンビニエンス・ストアなのがとても便利。三畳しかない部屋は楽器とステレオでほぼ満杯で、布団を敷くスペースが足りない。考えた末、布団の半分を押し入れの中に敷き込んで寝ている。部屋には小さな流しがあるだけ、冷蔵庫は部屋の外の廊下に置いて使っている。

本棚もステレオ台も彼には必要ない。電化製品は全部、格安の中古で揃えた。

LONSDALE
LONDON
TEAM & SUN SMILE

上段は押し入れ、下段は寝床の上半身部分。壁に小棚を置けばサイドテーブル代わりにもなって便利。頭を押し入れの奥に入れて寝れば、暗くてぐっすり安眠確実である。

ビル街のベース・キャンプ
都心のビルの谷間に残る木造アパートの一室。風呂なし、トイレ共同、陽当たり悪しで、格安の家賃。しかも部屋の主は、海外青年協力隊でインドなどに行っていることがほとんどという女の子。東京の部屋は寝るところと机さえあればいいのだから、これでちっとも不便は感じない。

小さくても機能充分のキッチン。洗濯ひもは乾燥にもハンガーに使えるから、常に張ったままにしておく。

窓に面した枕元とデスクまわり。陽当たり良で、のんびりするにはぴったり。

改造はしない、足していく

大通りに面した大きなマンションの一室。売れっ子写真家の事務所でマネージメントを担当する女性のひとり住まい。築20年以上と古い造りなので、いまではなかなか見られないディテールがおもしろい雰囲気を出している。部屋の内装自体はいじらず、インテリアも大きな家具を買うよりも、ちょこちょこ探してきた素材を組み合わせて工夫して居心地良くしようと努力するのが好き。風呂はほとんど使わず、近所のサウナ付き銭湯が好きで通っているので、風呂場は格好の物置と化している。天気が悪くなければ事務所まで自転車通勤の健康的生活。

障子とフローリングが妙な調和を見せるリビング・ルーム。背の高い家具がないから広々。

上：レンガと板で作った本棚。
下：毎年のニューヨーク旅行のたびに、少しずつ集めた宝物。

さすがに古びたつくりだが、
それでも物置としては充分な
広さの風呂場である。

ディテールが古風な味のキッチン。友達を呼んで賑やかに過ごすのが好きだ。

Buitoni
Tagliatelle Verdi

借りつづければ安くなる

ファッショナブルなブティックに勤める独身女性の部屋。学生時代から借りているので家賃も安いし（風呂、トイレ付きで6万円）、周囲は昔からの学生街で安い食堂や飲み屋などたくさんあって便利、離れられない。料理が好きなのだが、仕事が終わるのがいつも遅くて、なかなか時間をかけて作れないのがいまの悩み。

台所から見たベッドまわり。
クッションや人形のアレンジ
に、女の子らしい匂いが残る。

玄関には、いつのまにか増えてしまう靴のコレクションがやむを得ず出しっ放しに。

街のなかに隠れる

方丈記の昔から、人生でどんなに栄華を極めようと、最後は家を捨て、家族も名声も捨て、山で小さな庵を編んで暮らしながら死を待つのがなによりの幸せ、という美しい思想がこの国にはあった。「隠遁生活」という言葉には、英語の「hermitage」よりもはるかに甘く、なごもしいニュアンスがある。もしかしたら世界一のスピードで動いていると思われている東京の只中で、小さな部屋を借り、どうしても必要な分だけ働いて、あとは本を読んだり絵を描いたり、音楽を聴いて静かな毎日を過ごしている人々がずいぶんいるという事実は、心地好い驚きでもある。東京もまだまだ捨てたもんじゃないと思うのは、こんな人たちに出会うときなのだ。

プログラムされた箱

東京というよりむしろ香港を思わせる駅前雑居ビルの中、四畳半ひと間の部屋に住むコンピュータ・プログラマー。風呂なし、トイレは各フロアにひとつ、使用時は自分のトイレット・ペーパーを持っていく。働くのは月に10日ほど、あとは酒とクラシック音楽と哲学書に浸る。毎晩のように通うバーから歩いて帰れる距離で、布団が敷けるだけのスペースがあればいい、だからこの部屋で充分。部屋はいつもきれいに片付き、本やＣＤにはきちんとカバーがかかり整然と並ぶ。

ひとつだけの窓に面したデスクのあるコーナー。壁の凹みをうまく利用している。

入口、流し、そして押し入れを改造した収納壁。整理好きの面目躍如。ドアの脇にトイレットペーパーの置き場所が見えている。

Truman capotes
BOOKS

線路脇の書斎
小田急線の線路脇にある古ぼけた木造アパート。電車が通るたびに揺れる、四畳半と三畳の二部屋。アパートの玄関で靴を脱ぐ、昔ながらのスタイルである。風呂なし、トイレ共同、しかし立地は代々木のＮＨＫそばと最高。部屋の主は古代ギリシャ語の研究をしていて、この部屋でしばしば仲間と購読会を開く。本棚をのぞけばほとんど唯一の家具であるコタツは勉強机にもなれば食卓にもなり、夜には寝具となる。

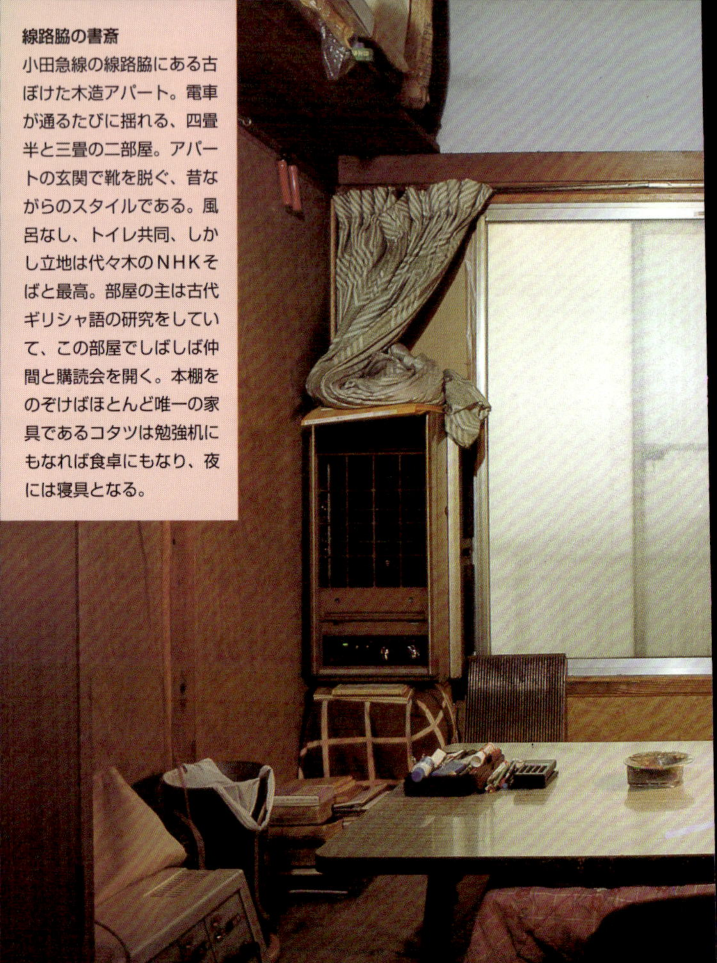

コタツにセットされた机を中心とする知的小宇宙。線路そばで、電車が通ると揺れる。

上：生存に必要充分な器具は、
このへんにすべて揃う。
右：部屋の一角が自然とウォ
ーキング・クローゼットに。

画布の脇で見る夢は

美術大学に通っていたころからの木造アパートに、そのまま住み続けているアーティスト。四畳半ひと間、風呂なし、トイレ共同だが、窓が隣家の広い庭に面していて、それほど閉塞感はない。このひと部屋で絵を描き、他の住人が出払う昼間には趣味のクラシック音楽を聴き、夜は立てかけたキャンバスの隙間に布団を敷いて寝る生活が、もう10年近く続いている。

角部屋で明るい室内。巨大スピーカーの性能をフルに発揮できないのが残念だ。

入口からすぐのあたり。鴨居が役に立つ。台所の右側が玄関になっている。

左：クラシック音楽のコレクション。手前が画材整理台。
右：テレビの上はハイテクな雰囲気だが、実は単なる室内アンテナである。

FUNAI

午後の陽だまりの中で読書。

流し。手前の洗面器がお風呂
セット。これで銭湯に通う。

一時休息、すぐに出発

旅行が趣味を超えて本業となった、若き放浪者の部屋。木造アパートのぼろぼろの四畳半を月２万７千円で借りて、いわばベースキャンプとして荷物を置いておき、アルバイトで航空チケットが買えるだけの金が溜まったらすぐに出発する。撮影時も半年間のインド・チベット行から帰ったばかり、そして沖縄に3ヶ月の砂糖キビ狩りキャンプへ発つ直前だった。さすがに部屋は隙間風吹き放題で、冬は室内ジャンパー着用を強いられ、壁の薄さは二部屋向こうの電話が聞こえるほどである。

部屋全景。陽あたりは悪い。テレビ、ステレオなどほとんどの電化製品や家具は、友達が引越でいらなくなったものや、一時預かっているもので揃ってしまう。

Santa Fe
Santa Fe
Rie Miyazawa & Kishin Shinoyama
0120·279·555
0120·183·258
0120·087·458
0120·183·220
0990-345-934

押し入れ転じてよろず収納コーナー。持物はなるべく増やさないように心掛けている。

屋根裏のインターナショナル・スタイル

日本滞在が長いアメリカ人男性のひとり住まい。現代日本文学の翻訳家である。都心のファッショナブルなエリアにあるワンルーム・マンション。1960年代初めにスカンジナビア帰りの若い建築家によって設計されたという建物は、どことなくモダニズムの香りが漂う。小さなビルの最上階で、台形状に変形した部屋のかたちがおもしろい。引っ越したばかりだが、大工仕事が得意なので内装工事はすべて自分でこなしている。気持ち良い質感の壁は、塗料と砂を混ぜ合わせ好みのテクスチュアを出した。現在は板を買ってきてフローリングを貼っている最中。

デスクから入口あたりを眺める。入口の手前に金属ポールを渡して、洋服ラックにする。

整理棚に厚板を渡してデスクに。やはり整理棚にクッションを貼ってチェアに転用。

使いにくい変形空間も工夫次第
で美しく甦る。壁の質感がい
い感じに仕上がっている。

料理の腕前はプロ級。イタリアンからタイまで幅広いレパートリーを毎日こなしている。

オトナの寮生活

化粧品メーカーの独身男性寮である。かなり古い建物で、入居者も20年近い古強者がいる。各部屋は個室だが最小のスペースしかなく、全室共通のベッドとクローゼットの家具、カーテン地がいかにも寮の雰囲気。仕事柄きちんとした格好で出社しなくてはならないので、洋服と自社の化粧品は高級品が揃っているが、あとは他人の目に触れない安心感からか（訪問者入室禁止の規則あり）、どの部屋も恐ろしく散らかり放題である。洗面と入浴は共同。食事も各自の部屋でなく食堂で取る、昔ながらの寮のスタイル。競馬場がそばにあるので、週末はほとんど空になるが、鍵の掛かっている部屋は少ない。

混沌の渦中に浮き上がる高級化粧品やポスターが異様なコントラストを放つ。

つくりつけの箪笥だけでは洋服が収まりきらず、ファンシーケースを愛用している。

懐かしい気分を味わえる共同洗面所。タイルの床に便所下駄の音が響きわたる。

手前に洋服ダンスがあるほかは、これでほぼ部屋全景という個室のありさま。

上：枕元に独身の匂いが強力に漂っている。
下：ベッド横のデスク。カーテンの柄も、いかにもの感じ。

AEROBIKE EX80

室内生活礼賛

コンピュータ・プログラマーの独身生活。フリーで仕事を請け負い、家で作業するから、結局日常のほとんどの時間をここで過ごす。昔から音楽が好きで楽器やレコード、それに最近はレーザーディスクのコレクションにも凝っている。仕事でも遊びでも出歩くのが嫌いで、食事はよく自分で作る。台所のテーブルで本や雑誌を読みながら、ひとり酒を呑むのがなにより好きな時間である。

コレクションでいっぱいの空間。引越しなど、いちども考えたことがない。

運動不足を補いつつテレビや
音楽観賞も可能。無駄がない。
喫茶店風なソファもいい感じ。

上：焼酎の一升瓶がよく似合
う台所。料理は好きだ。
右：まったくなにもない寝室。

鉢巻をしめた隠者

三畳ひと間に小さな流しと万年床。絵に描いたような男のひとり暮らし。昼間は考古学の発掘調査、夜はいきつけの店で飲む毎日。脱俗生活を謳歌する青年の部屋である。いつでも土木作業着にタオルの鉢巻という姿で、本とカセット以外にほとんど持ち物というものを持たない。

陽あたりがよくないので、朝早く目が覚めてしまう心配がないのは好都合。

音楽はレンタルCDをカセットにダビングして整理。金はかからないし場所も取らない。小さな流しは洗面所にもなる。

SONY
Aurex

ROBERT JOHNSON
THE COMPLETE RECORDINGS
古典落語大系
食事健康法事典
帆船
経済学図説
THE AIRBRUSH BOOK
ゴミ箱

枕元の読書エリア。古風なスタンドが、部屋のつくりにマッチしているというか…。

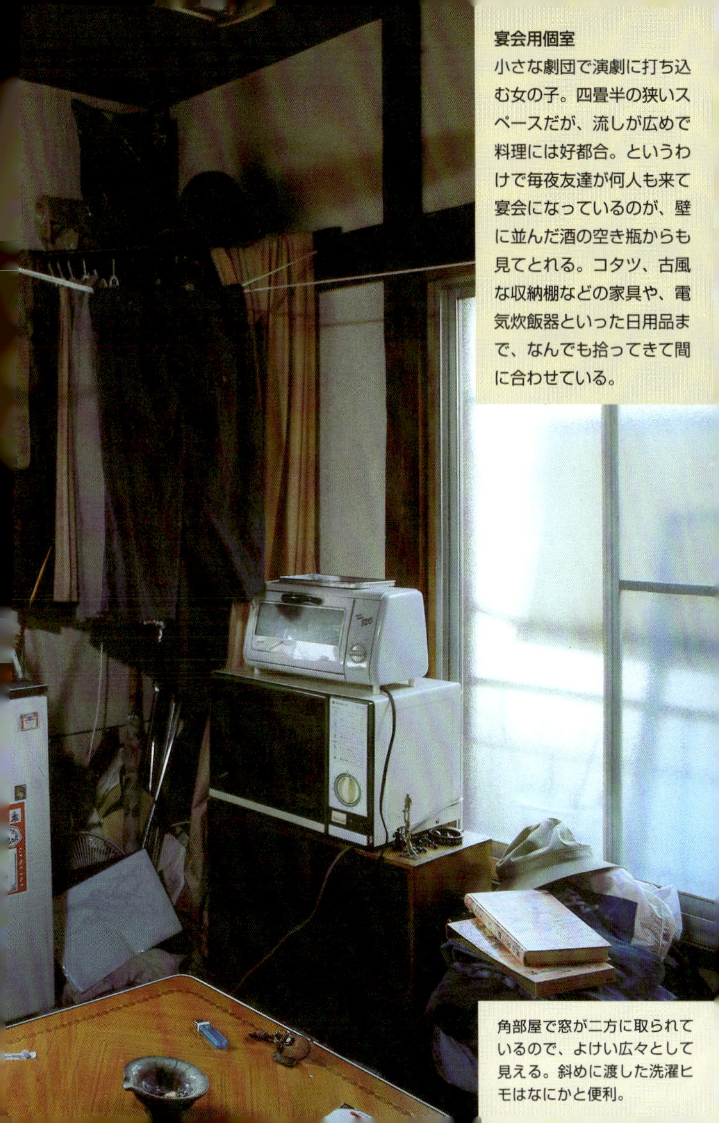

宴会用個室

小さな劇団で演劇に打ち込む女の子。四畳半の狭いスペースだが、流しが広めで料理には好都合。というわけで毎夜友達が何人も来て宴会になっているのが、壁に並んだ酒の空き瓶からも見てとれる。コタツ、古風な収納棚などの家具や、電気炊飯器といった日用品まで、なんでも拾ってきて間に合わせている。

角部屋で窓が二方に取られているので、よけい広々として見える。斜めに渡した洗濯ヒモはなにかと便利。

四畳半の流しにしてはそうとう、明るくて広い。当然洗面所としても活用する。

道路上で発掘してきた、ちょうどいいサイズの古い戸棚。拭いたらきれいになった。

SONY
AUTO REVERSE
AUTO REVERSE
Jan Pieńkowski
dinner time

下宿屋という小宇宙

東京大学周辺には、学生専門の下宿屋が軒を連ねる一角がある。減ってはいるものの、戦前のたたずまいを残すところも少なくない。中でもこの建物は木造3階建て、全70室という屈指の規模を誇る威風堂々の下宿屋である。学生あり、お年寄りあり、セカンドルームにしている人あり、下宿人の人種はさまざまで、数年前までは家族で住んでいた部屋もあった。現在入居しているのは50人ほどだが、戦後の住宅難の時期などは350人あまりいたことがあるという記録からも、並々ならぬ大きさが分かる。さすがに古びた造作は長くはないであろう寿命を感じさせるものの、共同便所、共同炊事場など館内すべて掃除が行き届き、きれいに保たれているのには感心する。家賃は2万円前後と格安で、学生時代からずっと借りている人が多いのもうなずける。木造3階建てという現在では消防法上許可にならない建物だけに、火災への気配りはひとしお。毎晩管理人が「火の用心」と声を掛けながら廊下を回っているのなどは、現代の東京と思えない風情である。

本郷の住宅街にそびえ立つ木造3階建て下宿館。エントランスまわりの造作、樹齢を重ねた棕櫚の大木などから察するに、往時はさぞかしお洒落な住まいだったことだろう。

建築家が住む一室。学生時代からの住人で、卒業したいまもここからオフィスに通う。

丈の高い家具は一切置かず、
床に近いレベルに物を集める
のが和室を広く暮らすコツ。

窓から外の緑を眺める。障子
に嵌まったガラスの模様が美
しい。床の間には友人の描い
た大きな油絵のキャンバスが。

やはり建築家として働く、学生時代からの住人の部屋。前ページの一室とは対照的に床、壁、天井、すべての空間を使い切って余白がない。天井には何本も棒を渡し、洋服を吊ったり、棒の上を収納に使ったりしている。

CEZANNE

室内アンテナなのでテレビはよく映らないが、そのうち慣れる。手前左側に転がっているのが、枕元からテレビ操作可能な自慢の「万能棒」だ。

入口付近。ちゃぶ台は円形がいちばん便利。床も収納のうちだと実感させられる。

マイホイル
10m

枕元には、トイレットペーパーを何本も重ねた「ペーパー・タワー」。トイレにはペーパー持参がこの下宿の決まりだ。

中庭を3階から覗きこむ。ここはほんとに東京だろうか。床板の隙間からは、ところどころ下が透けてみえる。

会社勤めを辞め、ひとり暮らしを始めた現在失業中の女の子の部屋。廊下とは窓ガラスの仕切りがあるだけなので、洋服をぶらさげて目隠しに。

記録紙ロール
B4
LA POSTE

この館では珍しく流しがついた部屋なので、洗面にもお茶を入れるのにも共同炊事場に行く必要がない。独立祝いに、友人たちが浄水器をプレゼントしてくれた。

1階の部屋なので、窓の向こうはすぐに道路。安全性は劣るが、日当たりはいい。

いちばん広い部屋のひとつ。8畳ほどの変形の一室に、小さな納戸風のスペースがついている。最上階の角部屋で、採光は抜群。明るすぎるくらいなので、納戸を寝室に使っている。

Audi

寝室部分。まったく光がささないので、いつまででも寝ていられるのがうれしい。

古風な内装がきれいに残る東大生の一室。本人も古びた調度が好きで、勉強机やちゃぶ台など、古道具屋で探しては揃えている。扇風機、電球のカサ、ブタの蚊取り線香入れなど、若さに似合わぬディテールへの気配りが見てとれる。

7UP
TRUMPETS
TROMBONES

眺めのいい3階の窓から望む本郷の風景は、とても20世紀末のTOKYO CITYとは思えないアナクロ気分満点。

納涼図　久隅守景筆・東京国立博物館蔵

坐して半畳、寝て一畳

「夕顔棚納涼図」と題された一枚の屏風を見に、僕は上野の国立博物館を訪れることがある。作者の久隅守景は、江戸時代前期に生きたというだけでその生没年も分からなければ真筆とされる作品も少ないマイナーな画家だが、この図は僕にとって、なんというか人生かくありたいという理想の光景なのだ。仕事でも遊びでもいままでずいぶんたくさんのインテリアを見てきたが、究極の居住空間はと問われるたびに、僕はこの図のことを思い出す。
財産も名誉も欲しいものはすべて得て、最後に望む生活が深山の方丈にいきつくいかにも東洋的な心情は、かつて経験したことのない拝金社会になってしまったいまでも、人々のこころの奥底ではそんなに変わっていないのではないかという気がする。旅行するのにわざわざ鄙びた村の小さな宿を選んでみたり、路地裏の屋台に妙な居心地よさを感じて長居してしまったり、そんなふうにちぢこまることに安らぎを覚える感覚があるかぎり、この国から「日本的なるもの」がそう簡単になくなることはあるまいという、楽観的な直感が僕にはある。
いままでたくさんのメディアが、日本の住まいについて語ってきた。けれどもそのほとんどすべては、実際に住んでる僕たちにとってなんのリアリティも持たない、単なるレディメイド・イメージにすぎない。「和風」という商品名にすぎない。
本書はテクノロジーも、ポストモダンもワビサビも関係ない単なる普通の東京人がいったいどんな空間に暮らしているのかを、日本を外から眺めている人たちにある程度きちんとしたかたちで紹介するおそらくはじめての試みである。家賃を何十万円も払えない人々がどんなふうに快適な毎日を送っているのかを、僕はテクノロジーと茶室や石庭がごちゃごちゃに混ざったイメージ・オヴ・ジャパンがはびこるなかに情報として投げ込んでみたかった。
安い部屋の写真集を作る、とまわりに宣言したとき、友人たちの反応は決まって「まったく意地の悪い」というものだった。たしかに本書に登場する部屋はひとつとしてインテリア雑誌に紹介されるような美しいものではないし、いかにも「和風」なわけでもない。いったいヨーロッパやアメリカの人たちがこれをどんな眼で見てくれるのか分からないけれど、もしもこれが皮肉やブラック・ユーモアを意図したものととられたら、本書を作るために費やした2年ほどのささやかな苦労は、まったく無意味だったことになる。

「坐して半畳、寝て一畳」という言葉が仏教にある。結局のところ人間はどんな広大な邸宅を作っても、眠るのに2m×1m以上の場所は必要ないのだし、どんなに皿を並べても十人前も食べられるわけではない。部屋だって狭いより広いほうがいいに決まっているが、高い家賃や銀行ローンのためによけいに働くよりも、自分の好きなものに囲まれて時間を過ごしているほうがいい、そんなふうに思っている人たちが、雑誌やテレビには登場しないだけで実はどれだけたくさんいて、そこそこ快適に普通の生活を送りながらこの都市を成り立たせているか、そしてしばしばミステリアスなブラックボックスといわれる東京というものが、だからほんとうはごく普通の都市にすぎないことが、本書からおぼろげにでも感じていただけたらこれほどうれしいことはない。

長々と謝辞を述べるのは嫌いだが、本書が完成するまでにはほんとうにたくさんの人たちのお世話になった。ぶしつけなお願いに快くプライベートな空間を開放してくれた百人近くのみなさんはもちろん、写真はずぶのシロウトの僕にカメラの使い方を教えてくれたカメラマンの平井さんや中野さんや上田さん、リスキーな企画にもかかわらず付き合ってくれた京都書院の大前さん、デザイナーの西岡さん、翻訳者のバーンバウムさん、それに最初から最後まで手伝ってくれた安部さん、みんなのおかげで、やっとこんな本になりました。どうもありがとう。

1993年3月、東京にて　都築響一

文庫版『TOKYO STYLE』への後記

なんのきっかけだったかは覚えていない。とにかく1991年の夏のある日、ふと思いついたアイデアがどうしても頭を離れず、一日半ほど迷った末にカメラ屋に走り、知り合いのカメラマンに使いかたを教わって、若い友達たちの部屋を撮影し始めた。出版のあてなどなかったが、とにかく雑誌に原稿を書いては原稿料でフィルムを買い、週末ごとにだれかの家を訪ね歩く生活を2年間続けたら、百軒以上の「安くて居心地いい部屋」のファイルができた。そこでつきあいのあった出版社を強引に口説き、93年に発売されたのが『TOKYO STYLE』である。
建築雑誌にもインテリア雑誌にも絶対に登場しない、ぼろくて散らかった部屋ばかり約百軒。分厚いハードカバーの写真集で定価1万2000円。あまりにも無謀なプロジェクトではあった。いやいや(?)ながら出した出版社も大した度胸だと思うが、成功を信じるものも失敗を疑うものも、ひとりもいなかったこの本が、なんと売れてしまったのは奇跡としかいいようがない。なにせ、定価より安い家賃の部屋まで載ってるような「インテリア写真集」なのだから。
出版社にも著者にも信じられないうちに現在4版を重ねている『TOKYO STYLE』を、ほとんどそのまま文庫版に縮めたのが本書である。英語のテキストを抜いたこと、部屋の数を少しだけ減らし、デザインの変更に合わせて文章を削ったこと。いじったのはそれくらいだ。
今回の作業のために一軒ずつ、あらためて写真を見直してわかったのだが、ここに紹介されている部屋の90パーセント近くは、もう存在していない。たった数年間のうちに、ほとんどみんな引っ越しているのだ。結婚した人、不倫に破れて故郷に帰った人、イタリアに勉強に行った人、戦争好きが高じてベイルートに行った人…。居所がわからない人も少なくない。
安くて家具の少ない部屋に住むことの最大のメリット、それは思い立ったらすぐに動けるという一点に尽きる。仕事に飽きたら別の仕事に。町に飽きたら別の町に。国に飽きたら別の国に。「辛抱」と「根性」と「和」の、3本の縄でがんじがらめに縛られる快感に酔ってきたこの国で、これほど軽やかな生きかたを、自然に選びとる能力を身につけた若い人間が増えてきたことを僕は素直に喜びたい。
仕事を辞めたくてウズウズしている人、引っ越したくてウズウズしている人、どこか遠いところにいってしまいたくてウズウズしている人。すべてのウズウズしている人たちに、この本を捧げる。

1996年11月　都築響一

ちくま文庫版『TOKYO STYLE』後記

1993年に『TOKYO STYLE』が出版されたときは、われながら信じられない気持ちだったが、96年に文庫版になったときにもういちどびっくりし、そして版元の京都書院が倒産してしまったときには、またも驚かされた。僕にとってはじめての写真集であるこの本は、いまにしてみれば写真のクオリティを見ても稚拙な点がたくさんあって恥ずかしいのだが、それでもこうして、もういちど文庫となってよみがえることになったのは、なんといってもうれしい。
去年(2001年)には『TOKYO STYLE』の続編ともいうべき『賃貸宇宙』を発表することができたが、中味を比較してみると、2冊のあいだには10年近くの隔たりがあるのに、若者たちの生活ぶりにはまったく変化が見られない。貧乏生活には進歩がないってことかもしれないが、それはすごくいいことじゃないかという気もする。雑誌にしてもテレビにしても、メディアというものはいつも僕らの「向上心」をあおり、それを消費というかたちに結びつけようとするが、もうそろそろ僕らも「進歩」という強迫観念に追い立てられなくてもいいんじゃないかと、進歩も向上心もなさそうな彼らの生活空間が、無言のうちに教えてくれていると思う。

2003年1月　都築響一

マリソル十二社

安全寺
10-12

ちくま文庫

TOKYO STYLE

二〇〇三年三月　十日　第一刷発行
二〇二四年八月　五日　第十六刷発行

著　者　都築響一（つづき・きょういち）

発行者　増田健史
発行所　株式会社　筑摩書房
東京都台東区蔵前二―五―三　〒一一一―八七五五
電話番号　〇三―五六八七―二六〇一（代表）
装幀者　安野光雅
本文＋カバーデザイン　木下勝弘
＋倉地亜紀子
株式会社デザイン倶楽部
印刷所　ＴＯＰＰＡＮクロレ株式会社
製本所　加藤製本株式会社

ISBN978-4-480-03809-8 C0172
本書は一九九七年五月十五日、京都書院より刊行された。